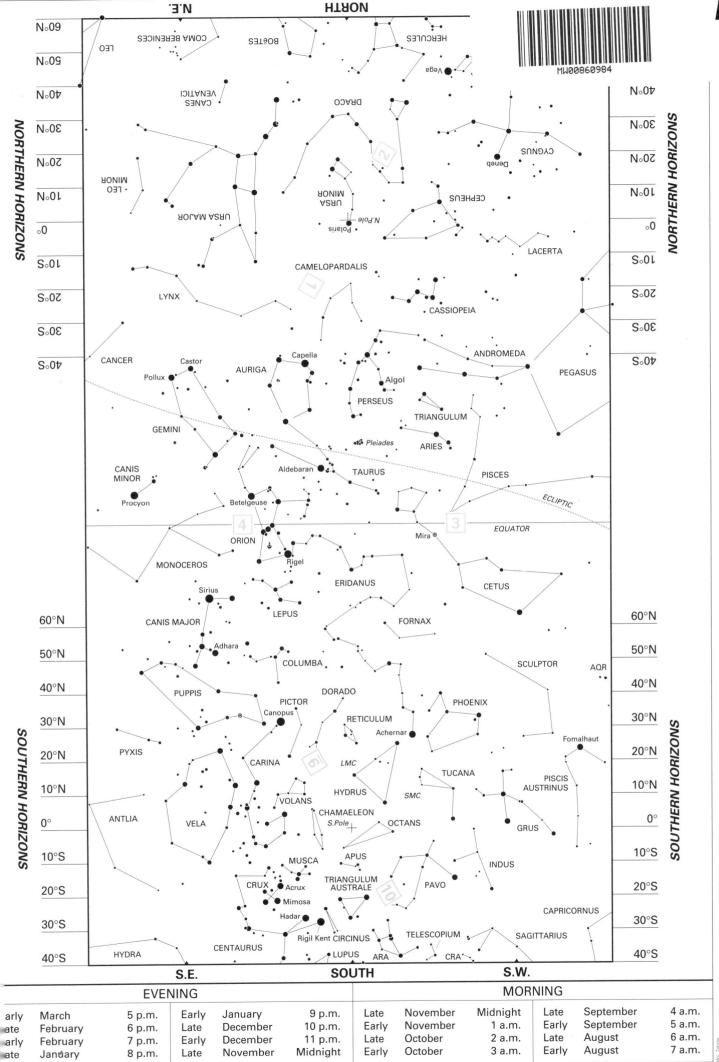

A

EVENING						MORNING					
Early	March	5 p.m.	Early	January	9 p.m.	Late	November	Midnight	Late	September	4 a.m.
Late	February	6 p.m.	Late	December	10 p.m.	Early	November	1 a.m.	Early	September	5 a.m.
Early	February	7 p.m.	Early	December	11 p.m.	Late	October	2 a.m.	Late	August	6 a.m.
Late	January	8 p.m.	Late	November	Midnight	Early	October	3 a.m.	Early	August	7 a.m.

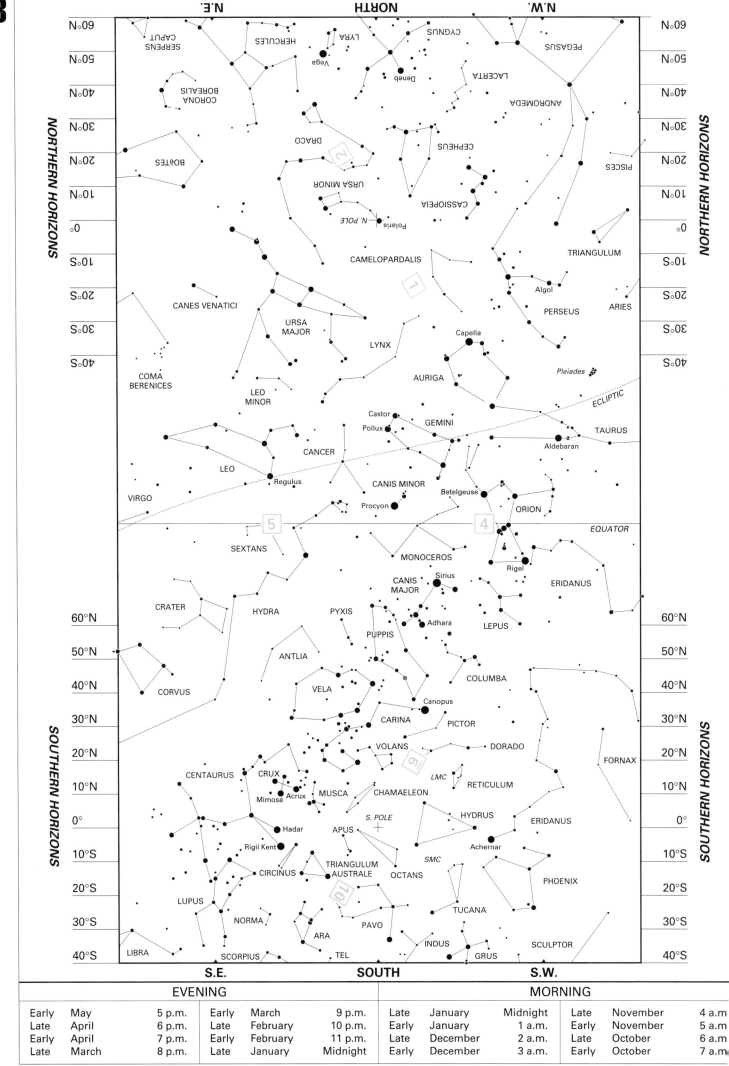

B

NORTHERN HORIZONS

SOUTHERN HORIZONS

N.E.   NORTH   N.W.

S.E.   SOUTH   S.W.

EVENING						MORNING					
Early	May	5 p.m.	Early	March	9 p.m.	Late	January	Midnight	Late	November	4 a.m
Late	April	6 p.m.	Late	February	10 p.m.	Early	January	1 a.m.	Early	November	5 a.m
Early	April	7 p.m.	Early	February	11 p.m.	Late	December	2 a.m.	Late	October	6 a.m
Late	March	8 p.m.	Late	January	Midnight	Early	December	3 a.m.	Early	October	7 a.m

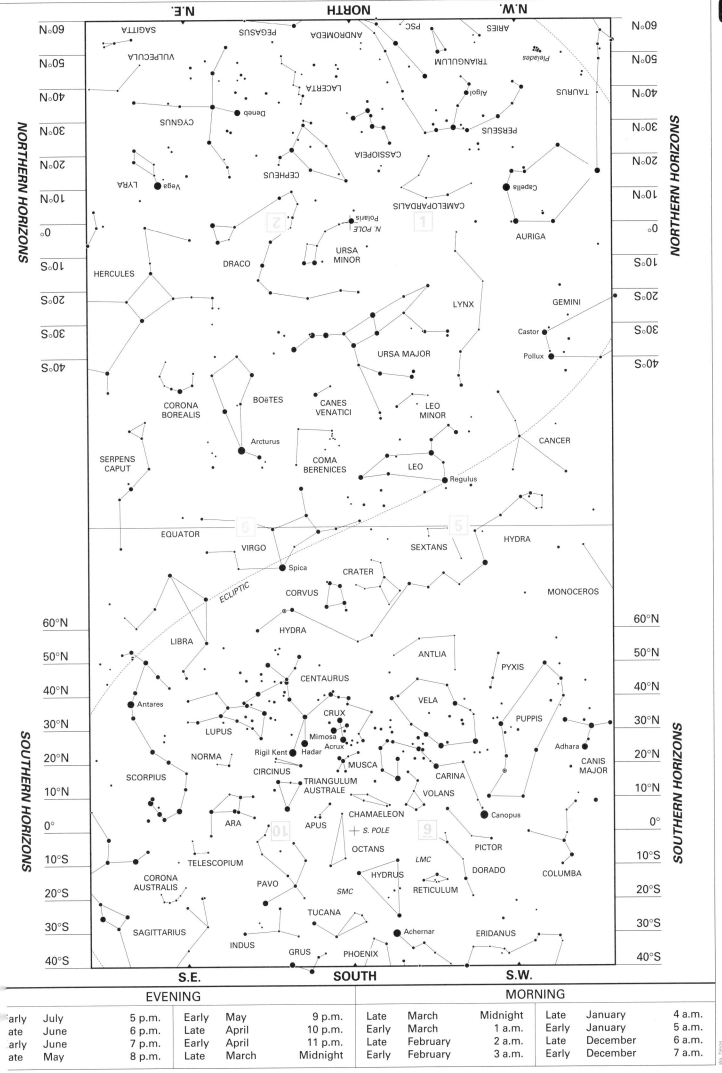

C

NORTHERN HORIZONS

N.E.   NORTH   N.W.

60°N
50°N
40°N
30°N
20°N
10°N
0°
10°S
20°S
30°S
40°S

SAGITTA
VULPECULA
LACERTA
PEGASUS
ANDROMEDA
PSC
ARIES
Pleiades
TRIANGULUM
TAURUS
Algol
PERSEUS
CASSIOPEIA
CEPHEUS
Deneb
CYGNUS
LYRA Vega
HERCULES
DRACO
URSA MINOR
N. POLE Polaris
CAMELOPARDALIS
AURIGA
Capella
LYNX
GEMINI
Castor
Pollux
URSA MAJOR
BOöTES
CANES VENATICI
LEO MINOR
CANCER
Arcturus
CORONA BOREALIS
COMA BERENICES
LEO
Regulus
SERPENS CAPUT
EQUATOR
VIRGO
SEXTANS
HYDRA
Spica
CRATER
ECLIPTIC
CORVUS
HYDRA
MONOCEROS

SOUTHERN HORIZONS

60°N
50°N
40°N
30°N
20°N
10°N
0°
10°S
20°S
30°S
40°S

LIBRA
ANTLIA
PYXIS
CENTAURUS
VELA
Antares
CRUX
PUPPIS
LUPUS
Mimosa
Acrux
Adhara
NORMA
Rigil Kent Hadar
MUSCA
CANIS MAJOR
CIRCINUS
CARINA
SCORPIUS
TRIANGULUM AUSTRALE
VOLANS
ARA
APUS
CHAMAELEON
S. POLE
Canopus
OCTANS
PICTOR
TELESCOPIUM
LMC
DORADO
COLUMBA
CORONA AUSTRALIS
PAVO
HYDRUS
SMC
RETICULUM
SAGITTARIUS
TUCANA
Achernar
ERIDANUS
INDUS
GRUS
PHOENIX

S.E.   SOUTH   S.W.

EVENING						MORNING					
Early	July	5 p.m.	Early	May	9 p.m.	Late	March	Midnight	Late	January	4 a.m.
Late	June	6 p.m.	Late	April	10 p.m.	Early	March	1 a.m.	Early	January	5 a.m.
Early	June	7 p.m.	Early	April	11 p.m.	Late	February	2 a.m.	Late	December	6 a.m.
Late	May	8 p.m.	Late	March	Midnight	Early	February	3 a.m.	Early	December	7 a.m.

WIL TIRION

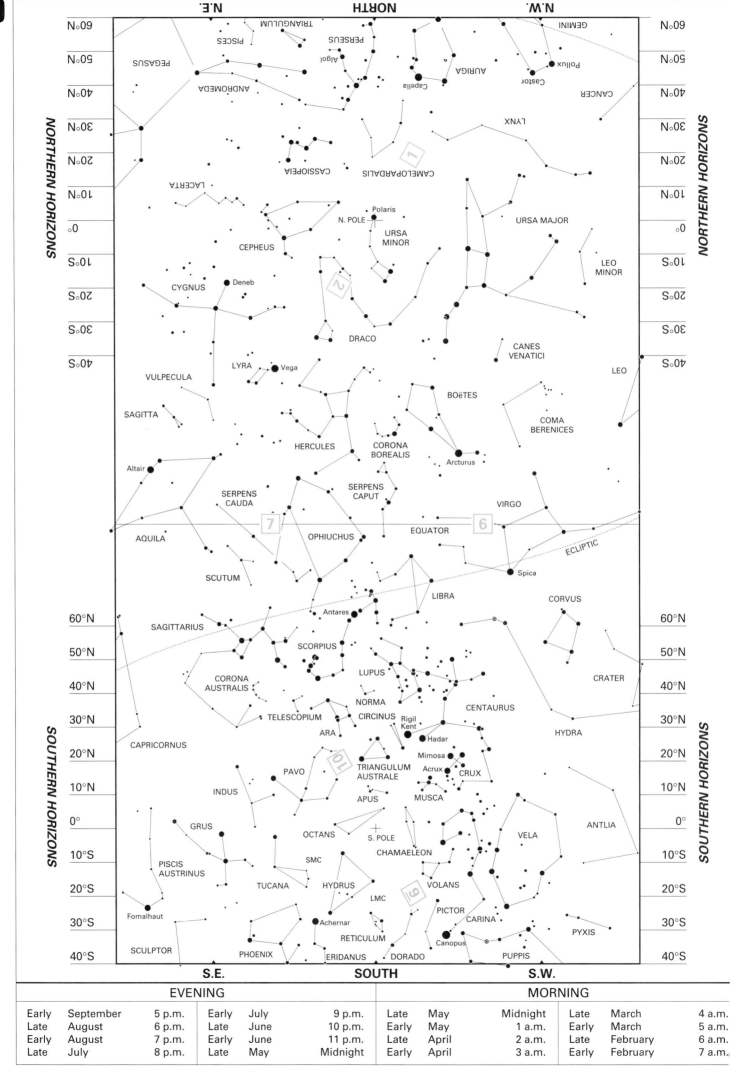

D

NORTHERN HORIZONS

N.E. | NORTH | N.W.

60°N 50°N 40°N 30°N 20°N 10°N 0° 10°S 20°S 30°S 40°S

TRIANGULUM
PISCES
PEGASUS
PERSEUS
Algol
AURIGA
Capella
Castor
Pollux
GEMINI
ANDROMEDA
CANCER
LYNX
CASSIOPEIA
CAMELOPARDALIS
LACERTA
N. POLE
Polaris
URSA MINOR
URSA MAJOR
CEPHEUS
LEO MINOR
CYGNUS
Deneb
DRACO
CANES VENATICI
LYRA
Vega
LEO
VULPECULA
BOöTES
SAGITTA
COMA BERENICES
HERCULES
CORONA BOREALIS
Arcturus
Altair
SERPENS CAUDA
SERPENS CAPUT
VIRGO
AQUILA
OPHIUCHUS
EQUATOR
SCUTUM
Spica
ECLIPTIC
LIBRA
CORVUS
Antares
SAGITTARIUS
SCORPIUS
LUPUS
CRATER
CORONA AUSTRALIS
NORMA
CENTAURUS
TELESCOPIUM
CIRCINUS
Rigil Kent
HYDRA
ARA
Hadar
CAPRICORNUS
Mimosa
TRIANGULUM AUSTRALE
Acrux
CRUX
PAVO
APUS
MUSCA
INDUS
ANTLIA
GRUS
OCTANS
S. POLE
VELA
CHAMAELEON
PISCIS AUSTRINUS
SMC
VOLANS
TUCANA
HYDRUS
PICTOR
Fomalhaut
LMC
CARINA
PYXIS
SCULPTOR
Achernar
Canopus
PHOENIX
RETICULUM
ERIDANUS
DORADO
PUPPIS

60°N 50°N 40°N 30°N 20°N 10°N 0° 10°S 20°S 30°S 40°S

SOUTHERN HORIZONS

S.E. | SOUTH | S.W.

EVENING						MORNING					
Early	September	5 p.m.	Early	July	9 p.m.	Late	May	Midnight	Late	March	4 a.m.
Late	August	6 p.m.	Late	June	10 p.m.	Early	May	1 a.m.	Early	March	5 a.m.
Early	August	7 p.m.	Early	June	11 p.m.	Late	April	2 a.m.	Late	February	6 a.m.
Late	July	8 p.m.	Late	May	Midnight	Early	April	3 a.m.	Early	February	7 a.m.

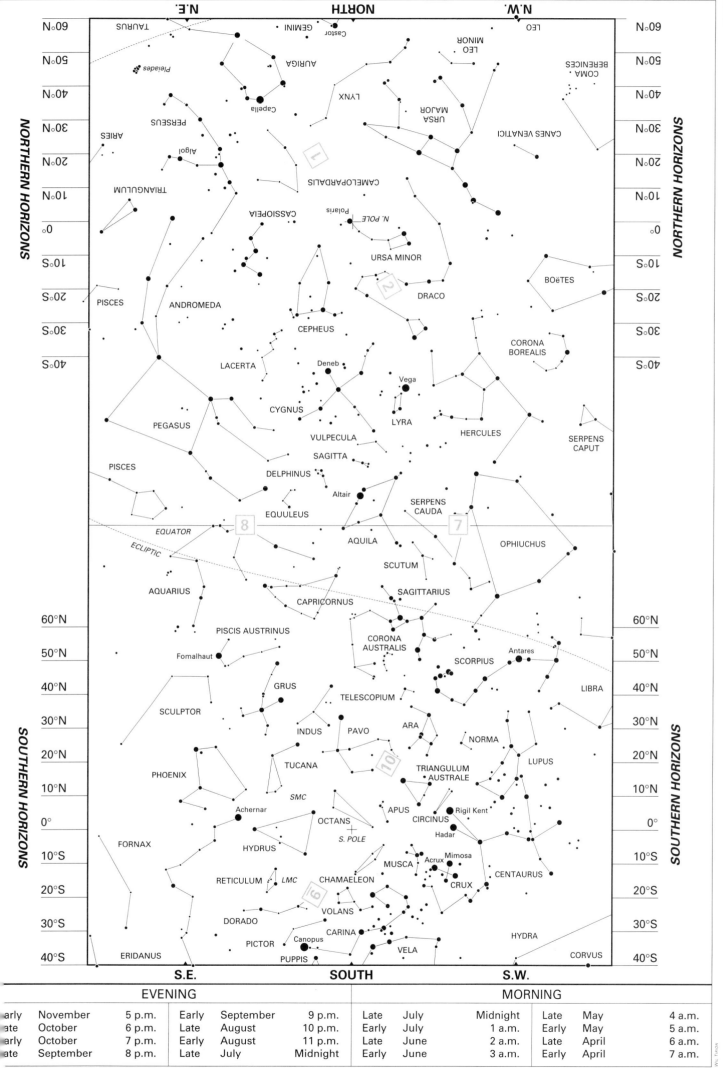

E

NORTHERN HORIZONS

60°N
50°N
40°N
30°N
20°N
10°N
0°
10°S
20°S
30°S
40°S

TAURUS   GEMINI   Castor   LEO

Pleiades   AURIGA   LEO MINOR   COMA BERENICES

Capella   LYNX   URSA MAJOR   CANES VENATICI

PERSEUS   CAMELOPARDALIS

Algol   Polaris   N. POLE

ARIES   CASSIOPEIA   URSA MINOR   BOöTES

TRIANGULUM   DRACO

PISCES   ANDROMEDA   CEPHEUS   CORONA BOREALIS

LACERTA   Deneb   Vega   SERPENS CAPUT

CYGNUS   LYRA   HERCULES

PEGASUS   VULPECULA   SAGITTA

PISCES   DELPHINUS   Altair   SERPENS CAUDA

EQUULEUS   8   7

EQUATOR   AQUILA   OPHIUCHUS

ECLIPTIC   SCUTUM

AQUARIUS   CAPRICORNUS   SAGITTARIUS

SOUTHERN HORIZONS

60°N
50°N
40°N
30°N
20°N
10°N
0°
10°S
20°S
30°S
40°S

PISCIS AUSTRINUS   CORONA AUSTRALIS   SCORPIUS   Antares   LIBRA

Fomalhaut   GRUS   TELESCOPIUM   ARA   NORMA

SCULPTOR   INDUS   PAVO   LUPUS

PHOENIX   TUCANA   10   TRIANGULUM AUSTRALE

SMC   APUS   Rigil Kent   CIRCINUS

Achernar   OCTANS   Hadar   CENTAURUS

FORNAX   HYDRUS   S. POLE   Mimosa   Acrux

RETICULUM   LMC   CHAMAELEON   MUSCA   CRUX

9   VOLANS

DORADO   CARINA   HYDRA

PICTOR   Canopus   VELA

ERIDANUS   PUPPIS   CORVUS

EVENING				MORNING					
Early	November	5 p.m.	Early	September	9 p.m.	Late	July	Midnight	Late	May	4 a.m.
Late	October	6 p.m.	Late	August	10 p.m.	Early	July	1 a.m.	Early	May	5 a.m.
Early	October	7 p.m.	Early	August	11 p.m.	Late	June	2 a.m.	Late	April	6 a.m.
Late	September	8 p.m.	Late	July	Midnight	Early	June	3 a.m.	Early	April	7 a.m.

F

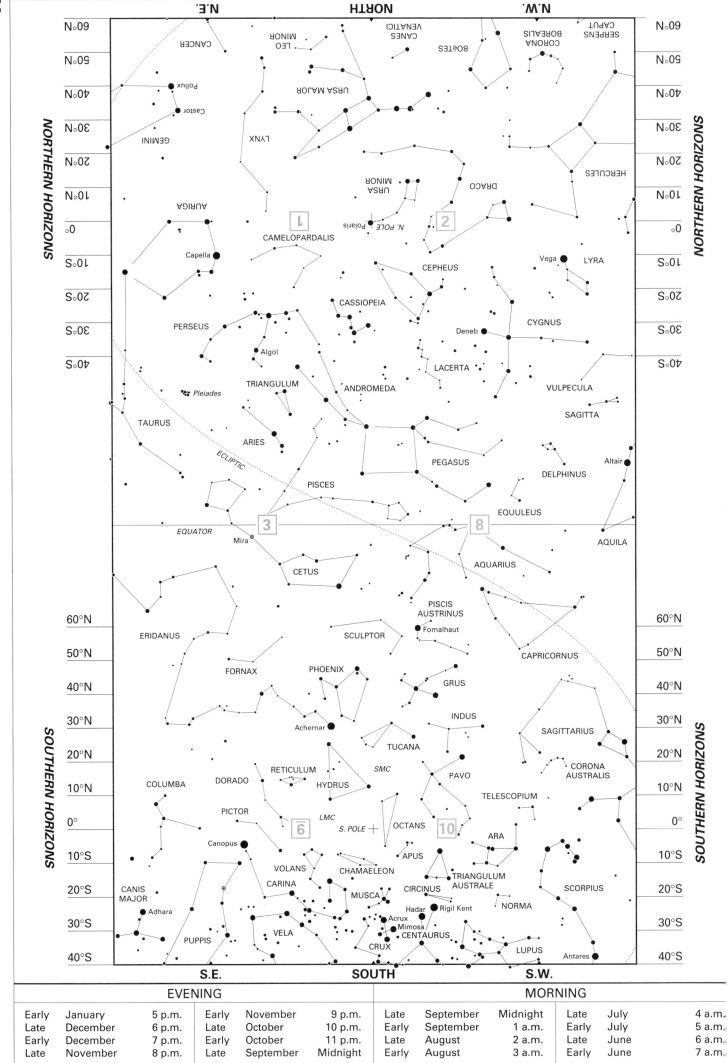

About The Bright Star Atlas 2000.0

Conveniently located at the back of this work you will find the ten full page maps that make up the *Bright Star Atlas 2000.0*. The stellar database for this atlas is 8,833 stars derived from the European Space Agency's *Hipparcos and Tycho Catalog* and represents virtually all the stars with a visual magnitude 6.5 or brighter, that is, those visible under good, dark-sky observing conditions.

Opposite each of the *Bright Star Atlas 2000.0* charts you will also find a "mini" catalogue prepared by Brian Skiff of Lowell Observatory. All together, Skiff has collected over 600 objects into a reasonably consistent listing of the brightest examples of deep-sky objects, double and variable stars visible in common hand-held binoculars and the smallest telescopes. All the Messier objects are included in these listings even though many do not meet the selection criteria outlined below. Also, some of the best examples of variable star types are fainter at maximum than mag. 6.5. Some of these stars that are brighter than 10.0p (photographic) at maximum are included on the charts and in the tables, such as the well-studied dwarf nova U Geminorum on Chart 4.

Immediately following this section you will find five pages of tables that combine and condense the data found in the tables opposite the maps–their purpose is to act as an Index. Objects in these tables are arranged in numeric/alphabetic order rather than by constellation. Also included is a Messier Object Index and a list of the constellations which, along with much other useful information, includes a pronunciation guide developed by George Lovi.

Bright Pointer Stars

Because more and more amateur telescopes are fitted with coordinate readouts, a set of six bright stars on each chart are listed with J2000 positions to one arcsecond precision. These allow initial set-up of the encoders, and permit occasional touch-up of the coordinates for specific regions of the sky. The stars are usually arranged in two large triangles, covering the upper and lower halves of each chart. If not the very brightest stars on a chart, then they appear in conspicuous places in a star pattern or constellation. When a double star is listed, the position always applies to the brighter component.

Double Stars

Most stars have at least one companion and some even more—single stars are in the minority. Some of these double stars are splendid sights in a telescope, and a good selection of them are listed in the accompanying tables. A few of these pairs show beautifully contrasting colors, such as Albireo in the constellation Cygnus (Charts 7 and 8), which has an orange and blue component. True double stars–those gravitationally tied together–are called binaries. These stars actually orbit one another, or around a common center of gravity called the barycenter. Because of this orbital motion, the relative separations and orientations of binaries change over periods of time, and depending on circumstances, noticeable changes can be detected over intervals of years, decades, centuries, or millennia. This is why double star listings often have a year or "epoch" included that indicates exactly when the listed values apply.

The doubles were selected by using the following criteria: the brighter star's visual (V) magnitude is brighter than or equal to 6.50, all the pairs will have their primaries listed in the *Yale Bright Star Catalog*, 5th Edition (YBS); the fainter star visual magnitude is brighter than or equal to 8.00; separation between 2 and about 30 arcseconds. A special effort was made to include what Skiff calls "61 Cygni-type pairs," which are relatively bright, nearly equal pairs with separations around 20 to 40 arcseconds (61 Cygni's

specifications are V = 5.2 and 6.0, 30 arcseconds separation). Although not of interest at high power, they are often resolvable in sharp binoculars, and in very low power telescopes are frequently beautifully set in their star fields. Pairs with large magnitude differences (difficult to view with low-power instruments) were excluded, particularly those of smaller separations. Up-to-date separations were found in the 1984 edition of the *The Washington Double Star Catalogue* (WDS) by Worley and Douglass. Nearly all the pairs have been measured within the last few decades, quite recent enough since their motions are generally very slow at these wide separations. Position angles have been omitted because they are of minimal interest for casual observation. If the year 2000 is given for the date of the measurement, this indicates a pair with a published orbit. A few very wide pairs (having arcminute separations) also have 2000 in the date column: for these (mostly optical pairs), proper-motions were accounted for up to that date. Magnitudes are from YBS, with amendations from Wallenqvist's *Catalogue of Photoelectric Magnitudes and Colors of Double and Multiple Systems*, and (south of –25° Dec) from the photoelectric-scanner photometry of Hurly and Warner. Many pairs were eliminated as a result of the accurate data in these sources, their historical (WDS) magnitudes being too bright compared to their photoelectric magnitudes. Magnitudes for even very bright stars were often shifted by several tenths of a magnitude. Star names are from the YBS.

Variable Stars

Light from some stars varies over time—these stars are called variables and they are broadly classified into two groups: extrinsic and intrinsic.

The extrinsic variables comprise the eclipsing binary stars: a close pair of stars whose orbital plane is nearly in our line of sight, such that they block each other's light wholly or partially on a regular cycle. The best known eclipsing system is Algol in Perseus (β Persei, Chart 3). Its brightness drops by 1.3 magnitudes and brightens again over the course of a few hours about every three days.

Nearly all the intrinsic variables are stars that pulsate by different amounts at varying rates. The changing sizes of these stars accounts for the change in brightness and (to a lesser extent) temperature. Three groups are common on our lists: Miras, semiregulars, and Cepheids. The Mira stars are cool red giants showing very large magnitude changes over the course of a year or so. Mira itself (o Cet, Chart 3) has an extreme range of eight magnitudes with an average cycle length of about eleven months. Amateurs continue to make a valuable contribution to astronomy by following the changes in these stars, which are not strictly predictable or periodic.

The semiregulars comprise a variety of cool, luminous stars (giants and supergiants) that pulsate like Miras, but usually have a smaller range. As their name suggests, their variations are often cyclic, but not so strongly periodic as in the Miras. The Cepheids are hotter supergiant stars that pulsate predictably with periods from days to weeks.

The variable stars were selected from a list prepared by Janet Mattei of the American Association of Variable Star Observers (AAVSO) and published in the 1993 *Astronomical Almanac*. They include the brightest variables of all types with ranges exceeding 0.5 magnitude. A few of the stars have a maximum brightness below the Atlas limit, but are included because they represent important classes of variables. The tables opposite each map include the magnitude ranges (extremes for the Miras), the Julian Date of maximum, and the period. The periods of most of the eclipsing variables and Cepheids are known to high precision (often to within one second of time), whereas those given for the long-period Miras and semiregulars are merely typical for the star and can vary considerably from the value listed–one reason they are important to observe!

Open Clusters

The open clusters populate the plane of our galaxy. The Pleiades and Hyades clusters in Taurus (Charts 3 and 4) and Praesepe cluster in Cancer (Chart 5) belong to this category. These are usually loose aggregations of young, often hot blue stars, so their individual stars are observable in binoculars and small telescopes. The open clusters brighter than integrated V magnitude 7.0 are included in the tables, with a few exceptions. Some open clusters with a single dominant star bringing them above the magnitude cutoff were omitted. The principal source for the cluster data is the book *Star Clusters* by Brent Archinal and Steven Hynes, in press, to be published by Willmann-Bell.

Globular Clusters

Globular clusters are found outside the galactic disk and contain large qualities of older stars. In a small telescope most globulars look like out-of-focus fuzzy disks, but the larger and brighter ones show sprinklings of individual stars.

Globular clusters brighter than integrated V magnitude 7.0 are included, with a few exceptions. Messier globulars below the magnitude cutoff were preserved. Total magnitudes are from a compilation by van den Berg; they often differ considerably (almost always brighter) from those given in older catalogues, but probably better represent the state of the art in this matter. Diameters are based upon surface photometry of Trager et al.

Diffuse Nebulae

Diffuse nebulae contain the raw material, gas and dust, from which stars are born. They are concentrated along the spiral-arm portions of galaxies. Light from diffuse nebulae may be from one or more sources–reflected starlight and/or fluorescence where the energy from stars within causes their gases to glow.

The tables include a selection of the brightest diffuse nebulae. Brian Skiff has provided rough integrated magnitude estimates, but no claim is made as to accuracy; no actual measures exist in the literature, consequently magnitude estimates here and elsewhere are preceded by a ~ to highlight uncertainty. Most of these are naked-eye or binocular objects, at least from a truly dark site, i.e. they are objects that do not require a sky-suppressing "nebula" filter to see them, although they may be enhanced by such filters.

Planetary Nebulae

Planetary nebulae are so called because the first objects so termed were disk-like (N3242, N6210). These objects have *nothing* to do with planets: they are roughly spherical ionized gas shells cast-off from certain extremely hot stars late in their lifetimes. The ionized gases usually glow with a greenish tint. The Ring Nebula in Lyra (M57) and the Dumbbell Nebula in Vulpecula (M27)–both on Chart 7–are leading examples of this class of object.

With but a few exceptions planetaries brighter than visual magnitude 10.5 are included in the tables. The magnitudes were provided by Jack Marling, who summed published fluxes for the emission lines over the dark-adapted visual response function; the magnitude zero-point was determined by a similar computation using an absolute flux calibration of Vega (which comes out on this system at magnitude –0.13). A judicious selection was made of the dimensions given for each object in the catalogue of Perek and Kohoutek, attempting to provide the most modern measure of the brighter portion of the object, excluding extremely faint outer haloes many objects possess.

Galaxies

Galaxies are huge star systems like our own Milky Way numbering up to over 100 billion. They stretch to the limits of the visible universe. Yet the "sociability of the stellar universe," or the tendencies of stars to gather together, also applies to galaxies because there are innumerable clusters of galaxies. The most prominent example is the well-known "Virgo Cloud." It is centered between β Leonis and ε Virginis and contains thousands of member galaxies. Tirion's Chart 6 shows but a handful of Virgo Cloud members. The two closest galactic systems to us are the Large and Small Magellanic Clouds. They are satellite galaxies of our Milky Way and both can be found on Tirion's Chart 9 labeled LMC and SMC, respectively.

Galaxies are classified among three basic types depending on their appearance: elliptical, lenticular, or spiral. The ellipticals are characterized by a smooth appearance lacking bright star clouds or nebulous star-forming regions. The degree of their apparent elongation is expressed by a number ranging from 0 for circular objects to 6 for the most elongated galaxies in this class, with occasional intermediate values. Dwarf and compact varieties are preceded by a 'd' or 'c.' The supergiant elliptical NGC 4486 (Messier 87) in the Virgo cluster is distinguished by having a + sign following the E.

The lenticulars form a transition class between ellipticals and the commonly pictured pinwheel-shaped spirals. These have prominent smooth halos like the ellipticals, but also exhibit a thin disk as spiral do. Lenticulars whose form is closer to that of the ellipticals are classed S0⁻, while those more nearly like spirals are called S0+.

Spirals with the most tightly-wound arms are classed Sa; as the arms appear progressively more open and clumpy along their length the classification proceeds through Sb, Sc, and Sd (with intermediate two-letter combinations) to Sm, represented by the barely discernible spiral structure of the Magellanic Clouds. Unstructured galaxies are called irregulars, designated Im for patchy 'Magellanic' objects, or I for diffuse objects whose appearance is more akin to lenticulars.

Spirals, lenticulars, and irregulars occur in ordinary and barred families, denoted with SA and SB, or IA or IB as appropriate. The Andromeda Galaxy is an ordinary spiral whose arms are wound moderately tightly, and thus classed SAb. The Large Magellanic Cloud shows a distinct bar, even if its spiral structure is not, and is classed SBm.

Most of the galaxies were chosen from the list provided by Corwin in the 2000 *Astronomical Almanac*, and include all those with integrated V (visual) magnitudes equal to or brighter than 10. Dimensions and positions are from direct inspection of the Digital Sky Survey by Cragin as detailed in *The Deep-Sky Field Guide to Uranometria 2000.0, Second Edition* (DSFG2). Objects of very low surface brightness are excluded. Types are from the NASA/IPAC Extragalactic Database (NED). The types are on the revised morphological system of de Vaucouleurs, but many of the structural details coded in these types have been stripped out for simplicity leaving only the basic class and stage de Vaucouleurs preserved in his elaboration of the more familiar Hubble classification system.

The Greek Alphabet

Alpha	α	Iota	ι	Rho	ρ
Beta	β	Kappa	κ	Sigma	σ
Gamma	γ	Lambda	λ	Tau	τ
Delta	δ	Mu	μ	Upsilon	υ
Epsilon	ε	Nu	ν	Phi	φ
Zeta	ζ	Xi	ξ	Chi	χ
Eta	η	Omicron	ο	Psi	ψ
Theta	θ	Pi	π	Omega	ω

ECLIPSING VARIABLE STARS

Name	Map	Type	Mag. Range	Period (d)	Name	Map	Type	Mag. Range	Period (d)	Name	Map	Type	Mag. Range	Period (d)
AR Aur	4	EA	6.15–6.82V	4.134	S Ant	5,9	EW	6.4–6.92V	0.648	VV Cep	2	EA	4.80–5.36V	7430
AR Lac	2,8	E	6.11–6.77V	1.983	TY Pyx	5,9	E	6.87–7.47V	3.198	W UMa	1	EW	7.9–8.63V	0.333
CV Vel	9	EA	6.5–7.3p	6.889	U Cep	1,2	FA	6.75–9.24 V	2.493	WW Aur	4	EA	5.79–6.54V	2.525
EE Peg	8	EA	6.9–7.6v	2.628	u Her	7	EB	4.6–5.3p	2.051	λ Tau	3	EA	3.3–3.80p	3.952
GG Lup	6,10	EB	5.4–6.0p	2.164	U Oph	7	EA	5.88–6.58V	1.677	β Lyr	7	EB	3.34–4.34V	12.935
HU Tau	4	EA	5.92–6.7V	2.056	U Sge	7	EA	6.58–9.18V	3.380	β Per	1,3	EA	2.12–3.40V	2.867
i Boo	2,6	EW	6.5–7.1v	0.267	V Pup	4,9	EB	4.7–5.2p	1.454	δ Lib	6	EA	4.92–5.90V	2.327
R Ara	10	EA	6.0–6.9p	4.425	V1010 Oph	7	EB	6.1–7.0v	0.661	λ Tau	4	EA	3.3–3.80p	3.952
R CMa	4	EA	5.70–6.34V	1.135	V505 Sgr	8	EA	6.48–7.51V	1.182	ε Aur	1,4	EA	2.92–3.83V	9892
RS Sgr	7	EA	6.0–6.9p	2.415	V539 Ara	10	EA	5.66–6.18V	3.169	ζ Phe	9,10	EA	3.92–4.42V	1.669
RS Vul	7	EA	6.9–7.6p	4.477	V861 Sco	7,10	EB	6.07–6.69V	7.848					

PULSATING VARIABLE STARS

Name	Map	Type	Mag. Range	Period (d)	Name	Map	Type	Mag. Range	Period (d)	Name	Map	Type	Mag. Range	Period (d)
AK Hya	5	SRb	6.33–6.91V	112:	R Tri	1,3	M	5.4–12.6v	266.48	V449 Cyg	8	Lb	7.4–9.0p	
AT Dra	2	Lb	6.8–7.5p		R Vir	6	M	6.0–12.1v	145.64	V460 Cyg	8	Lb	5.6–7.0v	
BM Sco	7	SRd	6.8–8.7p	850:	RR Lyr	2,7	RRab	7.06–8.12V	0.566	VW Dra	2	SRd	6.0–6.5v	170:
BO Mus	9,10	Lb	6.0–6.7v		RR Sgr	8	M	5.5–14.0v	334.58	VW UMa	1,2	SR	6.85–7.71V	125
EU Del	8	SRb	5.8–6.9v	59.5	RT Aur	4	δ Cep	5.00–5.82V	3.728	VX Sgr	7	SRc	6.5–12.5v	732
FF Aql	7	δ Cep	5.18–5.68V	4.470	RX Lep	4	Lb	5.0–7.0v		VY UMa	1,2	Lb	5.89–6.5 V	
FH Vir	6	SRb	6.92–7.45V	70:	RY UMa	1,2	SRb	6.68–8.5V	311	W Cyg	8	SRb	6.8–8.9p	126.26
g Her	2,6	SRb	5.7–7.2p	70:	S Car	9,10	M	4.5–9.9v	149.49	W Sgr	7	δ Cep	4.30–5.08V	7.594
KK Per	1	Lc	6.6–7.78V		S Mus	9,10	δ Cep	5.90–6.44V	9.660	X Cyg	2,8	δ Cep	5.87–6.86V	16.386
L2 Pup	4,9	SRb	2.6–6.2v	140.42	S Scl	3	M	5.5–13.6v	365.32	X Oph	7	M	5.9–9.2v	334.39
o Cet	3	M	2.0–10.1v	331.96	S Sge	8	δ Cep	5.28–6.04V	8.382	X Sgr	7	δ Cep	4.24–4.84V	7.012
OP Her	2,7	Lb	7.7–8.3p		SS Vir	5,6	M	6.0–9.6v	354.66	XY Lyr	7	Lc	7.3–7.8p	
R Car	9,10	M	3.9–10.5v	308.71	SW Vir	6	SRb	6.85–7.88V	150:	Y Sgr	7	δ Cep	5.40–6.10V	5.773
R And	3	M	5.8–14.9v	409.33	T Cen	6	SRa	5.5–9.0v	90.44	α Ori	4	SRc	0.40–1.3v	2110
R Aql	7	M	5.5–12.0v	284.2	T Cep	1,2,3	M	5.2–11.3v	388.14	α Sco	6	SRc	0.88–1.80V	1733
R Aqr	8	M	5.8–12.4v	386.96	T Lyr	7	Lb	7.8–9.6v		β Dor	9	δ Cep	3.46–4.08V	9.842
R Cae	9	M	6.7–13.7v	390.95	T Mon	4	δ Cep	5.59–6.60V	27.020	χ Cyg	8	M	3.3–14.2v	406.93
R Cen	9	M	5.3–11.8v	546.2	T Vul	2,8	δ Cep	5.44–6.06V	4.435	δ Cep	1,2	δ Cep	3.48–4.37V	5.366
R Dor	9	SRb	4.8–6.6v	338:	TV Psc	3	SR	4.65–5.42V	70	η Aql	8	δ Cep	3.48–4.39V	7.176
R Hor	3,9	M	4.7–14.3v	403.97	TX Psc	3,8	Lb	6.9–7.7p		η Gem	4	SRb	3.2–3.9v	232.9
R Hya	6	M	4.5–9.5v	389.61	U Car	9,10	δ Cep	5.72–7.02V	38.768	μ Cep	1,2	SRc	3.43–5.1v	730
R Leo	5	M	4.4–11.3v	312.43	U Cet	3	M	6.8–13.4v	234.76	π¹ Gru	9	SRb	5.41–6.70V	150:
R Lep	4	M	5.5–11.7v	432.13	U Ori	4	M	4.8–12.6v	372.40	ρ Per	1,3	SRb	3.30–4.0v	50:
R Lyr	2,7	SRb	3.88–5.0V	46.0	UX Dra	1,2	SRa	5.94–7.1v	168:	τ⁴ Ser	6	Lb	7.5–8.9p	
R Mus	9,10	δ Cep	5.93–6.73V	7.476	V CVn	1,2,6	SRa	6.52–8.56V	191.89	θ Aps	9,10	SRb	6.4–8.6p	119
R Pic	9	SRa	6.7–10.0v	164.2	V412 Cen	9,10	Lb	7.1–9.6B		ζ Gem	4	δ Cep	3.66–4.16V	10.150
R Ser	6	M	5.16–14.4v	356.41										

ERUPTIVE VARIABLE STARS

Name	Map	Type	Mag. Range	Period (d)	Name	Map	Type	Mag. Range	Period (d)	Name	Map	Type	Mag. Range	Period (d)
P Cyg	2,8	S Dor	3.0–6.0v		T Pyx	5	Nr	6.3–14.0v	7000:	VW Hyi	9,10	UG	8.4–14.4v	27.8:
RS Oph	7	Nr	5.3–12.3p		U Gem	4	UG	8.2–14.9v	103:	VY Aqr	8	UG	8.0–16.6p	
RU Peg	8	UG	9.0–13.1v	67.8	U Sco	6	Nr	8.8–19p	3400:	WW Cet	3,8	Z Cam	9.3–16.8p	31.2:
SS Cyg	2,8	UG	8.2–12.4v	50.1:	V Sge	8	NL	9.5–13.9v		WZ Sge	8	Nr(E)	7.0–15.5p	900:
T CrB	6	Nr	2.0–10.8v	9000:										

OTHER VARIABLE STARS

Name	Map	Type	Mag. Range	Period (d)	Name	Map	Type	Mag. Range	Period (d)	Name	Map	Type	Mag. Range	Period (d)
AC Her	2,7	RVa	7.43–9.74B	75.461	R CrB	6,7	RCB	5.71–14.8V		SX Phe	3,8,10	δ Sct	6.78–7.51V	0.054
AG Peg	8	Z And	6.0–9.4v	830.14	RR Tel	10	Z And	6.5–16.5p		TX CVn	6	Z And	9.2–11.8p	
AI Vel	4,5,9	δ Sct	6.4–7.1v	0.111	RS Gru	10	δ Sct	7.93–8.49V	0.147	U Mon	4,5	RVb	6.1–8.1p	92.26
AR Pup	9	RVb	8.7–10.9p	75	RS Tel	7,10	RCB	9.3–13.0p		UW Cen	9,10	RCB	9.1–14.5v	
CH Cyg	2	Z And	6.4–8.7 v	97	RU Cen	5,6,9,10	RV	8.7–10.7p	64.727	VZ Cnc	5	δ Sct	7.18–7.91V	0.178
EG And	1,2,3	Z And	7.08–7.8V		RY Ara	10	RV	9.2–12.1p	143.5	WY Vel	9	Z And	8.8–10.2p	
IW Car	9	RVb	7.9–9.6p	67.5	RY Sgr	7	RCB	6.0–15.0v		Z And	3,8	Z And	8.0–12.4p	

DOUBLE STARS—PART 1

Name	Map	Con	V	Sep.	Name	Map	Con	V	Sep.	Name	Map	Con	V	Sep.
ADS 1	1,2	Cas	5.9,7.5	15″2	ADS 4179	4	Ori	3.6,5.6	4″4	ADS 8600	6	Com	5.0,6.6	20″3
ADS 191	3,8	Psc	6.0,7.8	11″5	ADS 4193	4	Ori	2.8,6.9	11″4	ADS 8627	6	Crv	6.0 6.1	5″4
ADS 671	1,2	Cas	3.4,7.5	12″9	ADS 4241	4	Ori	3.8,6.6	12″9	ADS 8630	6	Vir	3.5,3.5	1″8
ADS 683	3	Psc	6.3,6.3	4″6	ADS 4263	4	Ori	1.9,4.0	2″6	ADS 8682	1,2	Cam	5.3,5.8	21″6
ADS 824	1,2,3	And	6.0,6.8	7″8	ADS 4749	4	Ori	5.7,6.9	29″5	ADS 8706	1,2,6	CVn	2.9,5.6	19″4
ADS 899	3	Psc	5.3,5.6	30″0	ADS 4773	1,4	Aur	6.3,7.0	7″7	ADS 8891	1,2	UMa	2.3,4.0	14″4
ADS 996	3	Psc	5.2,6.3	23″0	ADS 5012	4	Mon	4.4,6.7	12″9	ADS 8966	6	Hya	5.8,6.7	10″1
ADS 1457	3	Ari	6.2,7.4	2″9	ADS 5107	4	Mon	4.7,5.2	7″2	ADS 9053	6	Vir	6.5,7.7	3″4
ADS 1477	1,2	UMi	2.0,8.2	18″4	ADS 5166	4	Gem	6.3,7.0	20″0	ADS 9173	2	Boo	4.5,6.7	13″4
ADS 1507	3	Ari	4.8,4.8	7″8	ADS 5400	1	Lyn	5.4,6.0	1″7	ADS 9247	6	Boo	5.1,6.9	6″2
ADS 1534	1,3	And	5.7,5.9	3′6	ADS 5559	4	Gem	4.7,7.7	7″1	ADS 9338	6	Boo	5.0,5.9	5″6
ADS 1615	3	Psc	4.3,5.2	1″8	ADS 5654	4,9	CMa	1.5,7.4	7″5	ADS 9372	2,5	Boo	2.5,4.9	2″8
ADS 1630	1,3	And	2.3,4.8	9″7	ADS 5951	4	CMa	4.8,6.8	26″8	ADS 9375	6,10	Hya	5.1,7.1	8″4
ADS 1683	1,3	And	5.6,6.1	16″7	ADS 6012	1	Lyn	5.6,6.5	15″0	ADS 9406	2,6	Boo	6.2,6.9	2″9
ADS 1697	3	Tri	5.2,6.7	3″9	ADS 6126	4	Pup	6.4,7.5	2″0	ADS 9413	6	Boo	4.7,7.0	6″6
ADS 1703	3	Cet	5.7,7.7	16″5	ADS 6175	4,5	Gem	1.9,2.9	3″9	ADS 9701	6	Ser	4.2,5.2	4″4
ADS 1860	1	Cas	4.6,6.9	2″5	ADS 6190	4,5	Pup	5.8,5.9	9″6	ADS 9728	6	Lib	6.5,6.5	11″9
ADS 1982	3	Ari	6.5,7.1	38″3	ADS 6255	4,5	Pup	4.5,4.7	9″9	ADS 9737	6	CrB	5.1,6.0	6″3
ADS 2270	1	Per	5.3,6.7	12″3	ADS 6348	4,5	Pup	6.1,6.9	16″8	ADS 9909	6,7	Sco	4.2,7.3	7″6
ADS 2402	3,9	For	3.9,7.1	5″1	ADS 6381	4,5	Pup	5.6,7.7	2″0	ADS 9913	6,7	Sco	2.6,4.9	13″6
ADS 2582	1,3,4	Tau	6.6,7.0	11″3	ADS 6650	5	Cnc	5.4,6.0	5″6	ADS 9933	6,7	Her	5.0,6.3	28″1
ADS 2850	3,4	Eri	4.8,6.1	6″8	ADS 6815	5	Cnc	6.3,6.4	5″1	ADS 9951	6,7	Sco	4.0,6.3	41″2
ADS 3274	1	Cam	5.8,6.9	10″1	ADS 6977	5	Hya	6.4,7.4	4″7	ADS 9979	2,6,7	CrB	5.6,6.6	7″1
ADS 3409	4	Eri	6.7,6.8	9″3	ADS 6988	1,5	Cnc	4.0,6.6	30″4	ADS 10035	6,7	Sco	5.8,6.6	5″2
ADS 3597	4	Ori	6.7,7.0	21″3	ADS 7137	1,5	Cnc	5.9,8.0	4″5	ADS 10049	6,7	Oph	5.3,6.0	3″1
ADS 3623	4	Ori	6.5,7.7	14″6	ADS 7292	1,5	Lyn	3.9,6.6	2″7	ADS 10129	2	Dra	5.4,6.4	3″2
ADS 3823	4	Ori	0.1,6.8	9″5	ADS 7724	5	Leo	2.2,3.5	4″4	ADS 10345	2	Dra	5.7,5.7	1″3
ADS 3824	4	Aur	5.1,8.0	14″6	ADS 7902	5	Sex	6.1,7.2	6″8	ADS 10417	7	Oph	5.1,5.1	4″9
ADS 3954	4	Lep	5.4,6.6	3″5	ADS 7979	5	Leo	4.5,6.3	6″5	ADS 10418	7	Her	3.5,5.4	4″6
ADS 3978	4	Ori	6.0,7.8	6″0	ADS 8162	5	Leo	6.5,7.6	28″5	ADS 10442	7	Oph	5.2,6.8	10″2
ADS 3991	4	Ori	6.1,7.1	2″7	ADS 8202	5,6	Hya	5.7,5.8	9″3	ADS 10526	7	Her	4.6,5.6	4″1
ADS 4002	4	Ori	3.5,4.9	1″5	ADS 8220	5,6	Leo	6.0,7.3	3″4	ADS 10628	2	Dra	4.9,4.9	61″9
ADS 4068	4	Tau	5.8,6.6	4″8	ADS 8406	5,6	Com	5.9,7.4	3″7	ADS 10750	7	Oph	6.2,6.6	20″6
ADS 4131	4	Ori	6.1,6.5	9″6	ADS 8505	5,6	Vir	6.5,7.0	20″1					

OPEN CLUSTERS

Name	Map	Con	V	Dim.	Name	Map	Con	V	Dim.	Name	Map	Con	V	Dim.	Name	Map	Con	V	Dim.
NGC 457	1,2	Cas	6.4	20′	NGC 2323	4	Mon	5.9	15′	NGC 5281	9,10	Cen	5.9	8′	NGC 6871	2,7,8	Cyg	5.2	30′
NGC 581	1,2	Cas	7.4	6′	NGC 2343	4	Mon	6.7	6′	NGC 5316	9,10	Cen	6.0	15′	NGC 6885	7,8	Vul	8.1	20′
NGC 654	1,2	Cas	6.5	6′	NGC 2354	4	CMa	6.5	18′	NGC 5460	6,10	Cen	5.6	35′	NGC 6910	2,7,8	Cyg	7.4	10′
NGC 752	1,3	And	5.7	75′	NGC 2362	4	CMa	3.8	6′	NGC 5617	9,10	Cen	6.3	10′	NGC 6913	2,7,8	Cyg	6.6	10′
NGC 869	1	Per	5.3	18′	NGC 2422	4,5	Pup	4.4	25′	NGC 5662	10	Cen	5.5	30′	NGC 6940	2,8	Vul	6.3	25′
NGC 884	1	Per	6.1	18′	NGC 2423	4,5	Pup	6.7	12′	NGC 5822	10	Lup	6.5	35′	NGC 6994	8	Aqr	8.9	1′4
NGC 1027	1	Cas	6.7	15′	NGC 2437	4,5	Pup	6.1	20′	NGC 6025	10	TrA	5.1	15′	NGC 7092	2,8	Cyg	4.6	31′
NGC 1039	1,3	Per	5.2	25′	NGC 2439	4,5	Pup	6.9	9′	NGC 6067	10	Nor	5.6	15′	NGC 7160	1,2	Cep	6.1	5′
NGC 1342	1,3	Per	6.7	17′	NGC 2447	4,5	Pup	6.2	10′	NGC 6087	10	Nor	5.4	15′	NGC 7243	1,2,8	Lac	6.4	30′
NGC 1502	1	Cam	6.9	20′	NGC 2451	4,5,9	Pup	2.8	50′	NGC 6124	6,7,10	Sco	5.8:	40′	NGC 7654	1,2	Cas	6.9	16′
NGC 1528	1	Per	6.4	18′	NGC 2477	4,5,9	Pup	5.8	20′	NGC 6193	7,10	Ara	5.2	14′	NGC 7789	1,2	Cas	6.7	25′
NGC 1545	1	Per	6.2	12′	NGC 2516	9	Car	3.8	22′	NGC 6231	7,10	Sco	2.6	14′	IC 2391	9	Vel	2.6	60′
NGC 1647	4	Tau	6.4	40′	NGC 2527	4,5	Pup	6.5	10′	NGC 6242	7,10	Sco	6.4	9′	IC 2395	5,9	Vel	4.6	13′
NGC 1662	4	Ori	6.4	12′	NGC 2539	5	Pup	6.5	15′	NGC 6281	7	Sco	5.4	8′	IC 2581	9,10	Car	4.3	5′
NGC 1746	4	Tau	6.1	40′	NGC 2546	5,9	Pup	6.3	70′	NGC 6383	7	Sco	5.5	20′	IC 2602	9,10	Car	1.6	100′
NGC 1912	4	Aur	6.4	15′	NGC 2547	5,9	Vel	4.7	25′	NGC 6405	7	Sco	4.2	33′	IC 4651	7,10	Ara	6.9	10′
NGC 1960	4	Aur	6.0	10′	NGC 2548	5	Hya	5.8	30′	NGC 6475	7	Sco	3.3	75′	IC 4665	7	Oph	4.2	70′
NGC 1980	4	Ori	2.5	15′	NGC 2632	5	Cnc	3.1	70′	NGC 6494	7	Sgr	5.5	25′	IC 4725	7	Sgr	4.6	26′
NGC 1981	4	Ori	4.2	28′	NGC 2682	5	Cnc	6.9	25′	NGC 6531	7	Sgr	5.9	16′	IC 4756	7	Ser	4.6	40′
NGC 2099	4	Aur	5.6	15′	NGC 3114	9,10	Car	4.2	35′	NGC 6613	7	Sgr	6.9	7′	Hyades	3,4	Tau	0.5	330′
NGC 2168	4	Gem	5.1	25′	NGC 3293	9,10	Car	4.7	5′	NGC 6633	7	Oph	4.6	20′	Melotte 20	1,3	Per	2.3	300′
NGC 2169	4	Ori	5.9	6′	NGC 3532	9,10	Car	3.0	50′	NGC 6694	7	Sct	8.0	10′	Melotte 111	5,6	Com	1.8	300′
NGC 2281	1,4	Aur	5.4	25′	NGC 3766	9,10	Cen	5.3	15′	NGC 6705	7	Sct	5.8	11′	Stock 2	1,2	Cas	4.4	60′
NGC 2287	4	CMa	4.5	39′	NGC 4609	9,10	Cru	6.9	6′	NGC 6709	7	Aql	6.7	15′	Stock 23	1	Cam	~6.5	29′
NGC 2301	4	Mon	6.0	15′	NGC 4755	9,10	Cru	4.2	10′	NGC 6811	2,7	Cyg	6.8	15′	Trumpler 2	1	Per	5.9	17′

OPEN CLUSTERS ASSOCIATED WITH NEBULOSITY

Name	Map	Con	V	Dim.	Name	Map	Con	V	Dim.	Name	Map	Con	V	Dim.
NGC 346	9,10	Tuc	10.3	3′	NGC 2264	4	Mon	3.9	20′	NGC 6611	7	Ser	6.0	21′
NGC 1976	4	Ori	3.7	45′	NGC 2467	4,5	Pup	~7	16′	NGC 6618	7	Sgr	6.0	25′
NGC 1977	4	Ori	4.2	20′	NGC 3372	9,10	Car	~3	2°	IC 1396	2	Cep	3.5	170′ x 140′
NGC 2070	9,10	Dor	8.3	~3′	NGC 6514	7	Sgr	6.3	13′	IC 1805	1	Cas	6.5	22′
NGC 2244	4	Mon	4.8	27′	NGC 6523/30	7	Sgr	4.6	15′	IC 1848	1	Cas	6.5	12′

DOUBLE STARS–PART 2

Name	Map	Con	V	Sep.	Name	Map	Con	V	Sep.	Name	Map	Con	V	Sep.
ADS 10759	1,2	Dra	4.6,5.8	30″3	ADS 16095	2,8	Lac	5.7,6.4	22″4	Δ 59	4,5,9	Pup	6.4,6.4	16″4
ADS 10993	8	Her	5.0,5.2	6″3	ADS 16519	8	Peg	6.3,7.5	8″4	Δ 70	5,9	Vel	5.2,7.1	4″5
ADS 11046	8	Oph	4.0,6.0	3″8	ADS 16666	1,2	Cep	4.9,7.1	2″8	Δ 141	9,10	Cen	5.3,6.6	5″4
ADS 11061	1,2,8	Dra	5.7,6.0	19″1	ADS 16672	8	Aqr	5.2,7.6	12″6	Δ 159	10	Cen	4.9,7.1	9″2
ADS 11089	8	Her	5.9,5.9	14″2	ADS 16979	3,8	Aqr	5.7,6.7	6″6	Δ 178	6,10	Lup	6.4,7.4	32″3
ADS 11635	2,8	Lyr	5.0,6.1	2″6	ADS 17140	1,2	Cas	5.0,7.1	3″1	Δ 227	10	Tel	5.8,6.5	22″9
ADS 11635	2,8	Lyr	5.2,5.5	2″3	BrsO 12	6,7	Sco	5.5,7.1	23″2	Δ 246	10	Gru	6.3,7.0	8″7
ADS 11639	8	Lyr	4.3,5.7	43″7	BrsO 14	8	CrA	6.4,6.7	12″8	Δ 249	9,10	Gru	6.2,7.1	26″5
ADS 11640	8	Ser	6.2,7.2	2″5	h 3928	4	Pup	6.4,7.8	2″7	δ Vel	9	Vel	2.1,5.1	2″2
ADS 11667	8	Aql	5.9,7.5	12″8	h 4093	5,9	Pup	6.5,7.3	8″1	ε Nor	6,7,10	Nor	4.5,7.2	22″8
ADS 11853	8	Ser	4.6,5.0	22″3	h 4104	5,9	Vel	5.5,7.3	3″6	ε Vol	9,10	Vol	4.4,7.4	6″1
ADS 11870	1,2	Dra	6.6,7.4	5″6	h 4188	1,5,9	Vel	6.0,6.8	2″8	η Lup	6,7,10	Lup	3.4,7.8	15″0
ADS 12169	2,8	Cyg	6.6,6.8	7″9	h 4432	9,10	Mus	5.4,6.6	2″4	γ Vel	5,9	Vel	1.8,4.3	41″2
ADS 12540	8	Cyg	3.1,5.1	34″4	h 4715	6,10	Lup	6.1,6.9	2″3	γ Vol	9,10	Vol	3.8,5.7	13″6
ADS 12815	2	Cyg	6.0,6.2	39″3	h 4788	6,10	Lup	4.7,6.6	2″1	ι Pic	9	Pic	5.6,6.4	12″5
ADS 12880	2,8	Cyg	2.9,6.3	2″5	h 4949	7,10	Ara	5.7,6.5	2″1	κ Tuc	9,10	Tuc	5.0,7.6	5″2
ADS 12893	2,8	Cyg	6.4,7.2	14″9	h 5003	7	Sgr	5.2,7.0	5″5	κ Vol	9,10	Vol	5.4,5.7	65″0
ADS 13007	1,2	Dra	3.8,7.4	3″1	k Cen	6,10	Cen	4.6,6.1	7″9	$\kappa^{1,2}$ CrA	8	CrA	5.6,6.3	21″4
ADS 13087	8	Aql	5.7,6.5	36″0	MlbO 8	7,10	Ara	5.6,6.8	9″6	$\kappa^{1,2}$ Lup	6,10	Lup	3.9,5.7	26″6
ADS 13554	2,8	Cyg	3.8,6.7	1″8	p Eri	9,10	Eri	5.8,5.9	11″5	μ Cru	9,10	Cru	4.0,5.2	34″9
ADS 13645	8	Cap	3.6,4.2	6′3	Rmk 08	9	Cen	5.6,6.8	2″8	μ Lup	6,10	Lup	5.0,5.1	1″3
ADS 13692	2	Cyg	6.1,7.5	3″5	Rmk 14	5,6,9,10	Cen	5.3,7.5	18″1	$\sigma^{1,2}$ Tau	3,4	Tau	4.7,5.1	7′3
ADS 13902	8	Cap	5.9,6.7	18″9	Rmk 18	9,10	Car	5.3,7.8	3″9	υ Car	9,10	Car	3.0,6.3	5″0
ADS 14158	2,8	Cap	5.7,7.8	2″5	α Cru	9,10	Cru	1.3,1.7	4″2	θ Eri	3,9	Eri	3.2,4.4	8″3
ADS 14279	8	Del	4.3,5.1	9″6	$\alpha^{1,2}$ Cen	9,10	Cen	0.0,1.2	14″1	θ Ind	10	Ind	4.5,7.1	6″3
ADS 14592	8	Aqr	5.9,7.3	2″5	$\alpha^{1,2}$ Lib	6	Lib	2.8,5.2	3″9	θ Mus	9,10	Mus	5.7,7.7	5″3
ADS 14636	2,8	Cyg	5.2,6.0	30″3	$\beta^{1,2}$ Cap	8	Cap	3.1,6.1	3″4	θ Phe	3,8,9,10	Phe	6.5,7.3	3″9
ADS 14682	2,8	Cyg	5.8,7.8	3″4	$\beta^{1,2}$ Tuc	9,10	Tuc	4.4,4.5	27″0	θ Pic	9	Pic	6.3,6.8	38″2
ADS 15032	1,2	Cep	3.2,7.8	13″4	Δ 16	3,4	Eri	4.7,5.4	8″0	$\theta^{1,2}$ Tau	3,4	Tau	3.4,3.8	5′6
ADS 15600	1,2	Cep	4.4,6.4	7″8	Δ 32	4	Pup	6.6,7.9	8″0	ξ Lup	6,10	Lup	5.1,5.6	10″4
ADS 15753	8	Aqr	5.6,7.1	5″1	Δ 38	4,9	Pup	5.5,6.8	21″1	ζ^1 Ant	5,9	Ant	6.2,7.0	8″0
ADS 15934	8	Aqr	6.4,6.6	2″9	Δ 49	4	Pup	6.4,7.1	8″9					
ADS 15971	8	Aqr	4.3,4.5	2″0										

GLOBULAR CLUSTERS

Name	Map	Con	V	Dim.	Name	Map	Con	V	Dim.	Name	Map	Con	V	Dim.	Name	Map	Con	V	Dim.
NGC 104	9,10	Tuc	4.0	50′	NGC 5272	6	CVn	6.3	18′	NGC 6333	7	Oph	7.8	12′	NGC 6715	7	Sgr	7.7	12′
NGC 288	3	Scl	8.1	13′	NGC 5897	6	Lib	8.4	11′	NGC 6341	2,7	Her	6.5	14′	NGC 6723	7	Sgr	6.8	13′
NGC 362	9,10	Tuc	6.8	14′	NGC 5904	6	Ser	5.7	23′	NGC 6362	10	Ara	8.1	15′	NGC 6752	10	Pav	5.3	29′
NGC 1851	4,9	Col	7.1	12′	NGC 5986	6	Lup	7.6	9′6	NGC 6388	7,10	Sco	6.8	10′4	NGC 6779	7	Lyr	8.4	8′8
NGC 1904	4	Lep	7.7	9′6	NGC 6093	6,7	Sco	7.3	10′	NGC 6397	10	Ara	5.3	31′	NGC 6809	7,8	Sgr	6.3	19′
NGC 2808	9,10	Car	6.2	14′	NGC 6121	6,7	Sco	5.4	36′	NGC 6402	7	Oph	7.6	11′	NGC 6838	7,8	Sge	8.4	7′2
NGC 3201	5,9	Vel	6.9	20′	NGC 6171	7	Oph	7.8	13′	NGC 6541	7,10	CrA	6.3	15′	NGC 6864	7,8	Sgr	8.6	6′8
NGC 4372	9,10	Mus	7.2	5′	NGC 6205	7	Her	5.8	20′	NGC 6626	7	Sgr	6.9	13′8	NGC 6981	8	Aqr	9.2	6′6
NGC 4590	6	Hya	7.3	11′	NGC 6218	7	Oph	6.1	16′	NGC 6637	7	Sgr	7.7	9′8	NGC 7078	8	Peg	6.3	18′
NGC 4833	9,10	Mus	8.4	14′	NGC 6254	7	Oph	6.6	20′	NGC 6656	7	Sgr	5.2	32′	NGC 7089	8	Aqr	6.6	16′
NGC 5024	6	Com	7.7	13′	NGC 6266	7	Oph	6.4	15′	NGC 6681	7	Sgr	7.8	8′	NGC 7099	8	Cap	6.9	12′
NGC 5139	6,9,10	Cen	3.9	55′	NGC 6273	7	Oph	6.8	17′										

PLANETARY NEBULAE

Name	Map	Con	V	Dim.	Name	Map	Con	V	Dim.	Name	Map	Con	V	Dim.
NGC 650	1,2	Per	10.1	3′1 × 2′2	NGC 3918	9,10	Cen	8.1	23″	NGC 7027	2,8	Cyg	8.5	55″
NGC 1360	3,4	For	9.4	6′4	NGC 5189	9,10	Mus	9.9	2′3	NGC 7293	8	Aqr	7.3	17′5 × 12′0
NGC 1514	4,5	Tau	10.9	2′2	NGC 5315	9,10	Cir	9.8	14″	NGC 7662	1,2,8	And	8.3	37″ × 34″
NGC 1535	3,4	Eri	9.6	51″ × 44″	NGC 5882	6,10	Lup	9.4	20″	IC 418	4	Lep	9.3	12″
NGC 2392	4,5	Gem	9.1	54″ × 52″	NGC 6210	7	Her	8.8	21″	IC 2165	4	CMa	10.5	28″ × 23″
NGC 2438	4,5	Pup	10.8	1′3 × 1′1	NGC 6302	7	Sco	9.6	1′5 × 0′7	IC 2448	9	Car	10.4	27″ × 28″
NGC 2440	4,5	Pup	9.4	1′3 × 0′9	NGC 6543	2	Dra	8.1	20″	IC 2501	9	Car	10.4	2″
NGC 2867	9	Car	9.7	24″	NGC 6572	7	Oph	8.1	15″	IC 2553	9,10	Car	10.3	9″
NGC 3132	5,9	Vel	9.2	1′5	NGC 6720	7	Lyr	8.8	1′3	IC 3568	1,2	Cam	10.6	10″
NGC 3195	9,10	Cha	11.6	42″	NGC 6818	7,8	Sgr	9.3	46″	IC 4406	6,10	Lup	10.2	1′8
NGC 3211	9,10	Car	10.7	19″	NGC 6826	2	Cyg	8.8	36″	IC 4593	6,7	Her	10.7	42″ × 36″
NGC 3242	5	Hya	7.7	64″ × 50″	NGC 6853	7,8	Vul	7.4	6′7	IC 4776	7	Sgr	10.8	18′
NGC 3587	1,2	UMa	9.9	2′8	NGC 6891	7,8	Del	10.5	21″	IC 4997	7,8	Sge	10.5	13″
NGC 3699	9,10	Cen	11.3	45″	NGC 7009	8	Aqr	8.0	35″					

DIFFUSE NEBULAE

Name	Map	Con	V	Dim.	Name	Map	Con	V	Dim.	Name	Map	Con	V	Dim.
IC 434	4	Ori	~10	6′ × 4′	NGC 1982	4	Ori	~7	20′ × 15′	NGC 6960	2,8	Cyg	~ 7	70′ × 6′
IC 2948	9,10	Cen	~ 7	75′ × 50′	NGC 2024	4	Ori	~8	30′ × 30′	NGC 7000	2,8	Cyg	~ 4	120′ × 100′
NGC 1499	3,4	Per	~ 5	160′ × 40′	NGC 2068/71	4	Ori	~ 8	8′ × 6′ / 7′ × 5′	Sh2-264	4	Ori	~ 5	270′ × 240′
NGC 1952	4	Tau	~ 8	6′ × 4′	NGC 3372	9,10	Car	~ 3	~ 2×	Barnard's Loop	4	Ori	~ 7	Large

GALAXIES

Name	Map	Type	V	Dimensions	Name	Map	Type	V	Dimensions	Name	Map	Type	V	Dimensions
NGC 55	3,8	SBm	7.9	32.4 × 5.6	NGC 3115	5	S0⁻sp	8.9	7.2 × 2.4	NGC 4552	6	E0-3	9.8	3.5 × 3.5
NGC 147	1,2,3	E5	9.5	13.2 × 7.8	NGC 3184	1,5	SABcd	9.8	7.4 × 6.9	NGC 4559	6	SABcd	10.0	10.7 × 4.4
NGC 185	1,2,3	E3	9.2	8.0 × 7.0	NGC 3344	5	SABbc	9.9	7.1 × 6.5	NGC 4565	6	SAb?	9.6	15.8 × 2.1
NGC 205	1,2,3	E5	8.1	21.9 × 11.0	NGC 3351	5	SBb	9.7	7.4 × 5.0	NGC 4569	6	SABab	9.5	9.5 × 4.4
NGC 221	1,2,3	cE2	8.1	8.7 × 6.5	NGC 3368	5	SABab	9.3	7.6 × 5.2	NGC 4579	6	SABb	9.7	5.9 × 4.7
NGC 224	1,2,3	SAb	3.4	190.5 × 61.7	NGC 3379	5	E1	9.3	5.4 × 4.8	NGC 4594	6	SAa sp	8.0	8.7 × 3.5
NGC 247	3	SAB	9.1	19.2 × 5.5	NGC 3384	5	SB0⁻:	9.9	5.5 × 2.5	NGC 4621	6	E5	9.6	5.4 × 3.7
NGC 253	3	SAB	7.2	29 × 6.8	NGC 3521	5	SABbc	9.0	11.0 × 5.5	NGC 4631	6	SBd	9.2	12.8 × 2.4
SMC	9,10	SBm	2.3	320 × 205	NGC 3556	1,2	SBcd	10.0	8.7 × 2.2	NGC 4636	6	E0-1	9.5	6.0 × 4.7
NGC 300	3	SAd	8.1	19 × 12.9	NGC 3585	5	E6	9.9	4.6 × 2.5	NGC 4649	6	E2	8.8	7.4 × 6.0
NGC 598	3	SAcd	5.7	70.8 × 41.7	NGC 3621	5	SAd	9.7	12.3 × 6.8	NGC 4697	6	E6	9.2	7.2 × 4.7
NGC 613	3	SBbc	10.1	5.5 × 4.2	NGC 3623	5	SABa	9.3	9.8 × 2.9	NGC 4699	6	SABb	9.5	3.8 × 2.6
NGC 628	3	SAc	9.4	10.5 × 9.5	NGC 3627	5	SABb	8.9	9.1 × 4.2	NGC 4725	6	SABab	9.4	10.7 × 7.6
NGC 891	1,3	SAb?	9.9	11.7 × 1.6	NGC 3628	5	Sbsp	9.5	14.8 × 3.0	NGC 4736	1,2,6	SAab	8.2	14.4 × 12.1
NGC 925	1,3	SABd	10.1	10.5 × 5.9	NGC 3992	1,2	SBbc	9.8	7.6 × 4.6	NGC 4753	6	I0	9.9	6.0 × 2.8
NGC 1023	1,3	SB0⁻	9.3	7.4 × 2.5	NGC 4125	1,2	E6	9.7	5.8 × 3.2	NGC 4826	6	SAab	8.5	10.0 × 5.4
NGC 1068	3	SAb	8.9	7.1 × 6.0	NGC 4192	5,6	SABab	10.1	9.8 × 2.8	NGC 4945	6,9,10	SBcd:	8.4	20.0 × 3.8
NGC 1097	3,9	SBb	9.5	9.3 × 6.3	NGC 4214	5,6	IABm	9.8	8.0 × 6.6	NGC 5005	6	SABbc	9.8	5.8 × 2.8
NGC 1232	3	SABc	9.9	7.4 × 6.5	NGC 4216	5,6	SABb	10.0	8.1 × 1.8	NGC 5055	1,2	SAbc	8.6	12.6 × 7.2
NGC 1291	3,9	SB0/a	8.5	11 × 9.5	NGC 4254	5,6	SAc	9.9	5.4 × 4.7	NGC 5068	6	SABcd	10.0	7.2 × 6.3
NGC 1313	9	SBd	8.7	9.2 × 6.9	NGC 4258	1,2,5,6	SABbc	8.4	18.6 × 7.2	NGC 5102	6	SA0⁻	9.6	8.7 × 2.8
NGC 1316	3,9	SAB0°:	8.5	11.0 × 7.2	NGC 4303	5,6	SABbc	9.7	6.5 × 5.8	NGC 5128	6,9,10	S0 pec	6.8	25.7 × 20.0
NGC 1365	3,9	SBb	9.6	11.0 × 6.2	NGC 4321	5,6	SABbc	9.4	7.4 × 6.3	NGC 5194	1,2	SAbc	8.4	11.2 × 6.9
NGC 1398	3	SBab	9.7	7.1 × 5.4	NGC 4365	5,6	E3	9.6	6.9 × 5.0	NGC 5195	1,2	I0 pec	9.5	5.8 × 4.6
NGC 1399	3,4,9	E⁺1	9.6	6.9 × 6.5	NGC 4374	5,6	E1	9.1	6.5 × 5.6	NGC 5236	6	SABc	7.5	12.9 × 11.5
NGC 1407	3,4	E⁺0	9.7	4.6 × 4.3	NGC 4382	5,6	SA0⁺	9.1	7.1 × 5.5	NGC 5248	6	SABbc	10.3	6.2 × 4.5
NGC 1433	3,4,9	SBab	9.9	6.5 × 5.9	NGC 4406	5,6	E3	8.9	8.9 × 5.8	NGC 5322	1,2	E3-4	10.2	5.9 × 3.9
NGC 1566	9	SABbc	9.7	8.3 × 6.6	NGC 4435	5,6	SB0°	10.8	2.8 × 2.0	NGC 5457	2	SABcd	7.9	28.8 × 26.9
NGC 1672	9	SBb	9.7	6.6 × 5.5	NGC 4438	5,6	SA0/a	10.2	8.5 × 3.2	NGC 5643	6,10	SABc	10.0	4.6 × 4.0
NGC 1808	4	SABa	9.9	6.5 × 3.9	NGC 4449	1,2,5	IBm	9.6	6.2 × 4.4	NGC 5866	2	SA0⁺	9.9	6.4 × 2.9
NGC 2403	1	SABcd	8.5	21.9 × 12.3	NGC 4472	5,6	E2	8.4	10.2 × 8.3	NGC 6744	10	SABbc	8.5	20.1 × 12.9
NGC 2683	1,5	SAb	9.8	9.3 × 2.1	NGC 4486	6	E⁺0-1	8.6	8.3 × 6.6	NGC 6822	7,8	IBm	8.7	15.5 × 13.5
NGC 2768	1	E6:	9.9	6.4 × 3.0	NGC 4490	1,2	SBd	9.8	6.3 × 3.1	NGC 6946	2	SABcd	8.8	11.5 × 9.8
NGC 2841	1	SAb	9.2	8.1 × 3.5	NGC 4494	6	E1-2	9.8	4.8 × 3.5	NGC 7331	8	SAb	9.5	10.5 × 3.5
NGC 2903	5	SABbc	9.0	12.6 × 6.0	NGC 4501	6	SAb	9.6	6.9 × 3.7	NGC 7793	3,8	SAd	9.1	9.3 × 6.3
NGC 2997	5,9	SABc	9.5	8.9 × 6.8	NGC 4526	6	SAB0°:	9.7	7.2 × 2.4	IC 342	1	SABcd	8.4	21.4 × 20.9
NGC 3031	1,2	SAab	6.9	26.9 × 14.1	NGC 4535	6	SABc	10.0	7.1 × 5.0	IC 1459	8	E3-4	10.0	5.2 × 3.8
NGC 3034	1,2	I0	8.4	11.2 × 4.3	NGC 4548	6	SBb	10.2	5.4 × 4.3	LMC	9	SBm	0.4	650 × 550
NGC 3077	1,2	I0	9.8	5.4 × 4.5										

INDEX TO MESSIER OBJECTS

Object	Map	Type	Object	Map	Type	Object	Map	Type	Object	Map	Type
M 1 = NGC 1952	4	gn	M29 = NGC 6913	2,7,8	oc	M57 = NGC 6720	7	pn	M84 = NGC 4374	5,6	gx
M 2 = NGC 7089	8	gc	M30 = NGC 7099	8	gc	M58 = NGC 4579	6	gx	M85 = NGC 4382	5,6	gx
M 3 = NGC 5272	6	gc	M31 = NGC 224	1,2,3	gx	M59 = NGC 4621	6	gx	M86 = NGC 4406	5,6	gx
M 4 = NGC 6121	6,7	gc	M32 = NGC 221	1,2,3	gx	M60 = NGC 4649	6	gx	M87 = NGC 4486	6	gx
M 5 = NGC 5904	6	gc	M33 = NGC 598	3	gx	M61 = NGC 4303	5,6	gx	M88 = NGC 4501	6	gx
M 6 = NGC 6405	7	oc	M34 = NGC 1039	1,3	oc	M62 = NGC 6266	7	gc	M89 = NGC 4552	6	gx
M 7 = NGC 6475	7	oc	M35 = NGC 2168	4	oc	M63 = NGC 5055	1,2	gx	M90 = NGC 4569	6	gx
M 8 = NGC 6523/30	7	oc-gn	M36 = NGC 1960	4	oc	M64 = NGC 4826	6	gx	M91 = NGC 4548	6	gx
M 9 = NGC 6333	7	gc	M37 = NGC 2099	4	oc	M65 = NGC 3623	5	gx	M92 = NGC 6341	2,7	gc
M10 = NGC 6254	7	gc	M38 = NGC 1912	4	oc	M66 = NGC 3627	5	gx	M93 = NGC 2447	4,5	oc
M11 = NGC 6705	7	oc	M39 = NGC 7092	2,8	oc	M67 = NGC 2682	5	oc	M94 = NGC 4736	1,2,6	gx
M12 = NGC 6218	7	gc	M40 = double*			M68 = NGC 4590	6	gc	M95 = NGC 3351	5	gx
M13 = NGC 6205	7	gc	M41 = NGC 2287	4	oc	M69 = NGC 6637	7	gc	M96 = NGC 3368	5	gx
M14 = NGC 6402	7	gc	M42 = NGC 1976	4	oc-gn	M70 = NGC 6681	7	gc	M97 = NGC 3587	1,2	pn
M15 = NGC 7078	8	gc	M43 = NGC 1982	4	gn	M71 = NGC 6838	7,8	gc	M98 = NGC 4192	5,6	gx
M16 = NGC 6611	7	oc-gn	M44 = NGC 2632	5	oc	M72 = NGC 6981	8	gc	M99 = NGC 4254	5,6	gx
M17 = NGC 6618	7	oc-gn	M45 = Pleiades	3,4	oc-gn	M73 = NGC 6994	8	oc	M100 = NGC 4321	5,6	gx
M18 = NGC 6613	7	oc	M46 = NGC 2437	4,5	oc	M74 = NGC 628	3	gx	M101 = NGC 5457	2	gx
M19 = NGC 6273	7	gc	M47 = NGC 2422	4,5	oc	M75 = NGC 6864	7,8	gc	M102 = M101		
M20 = NGC 6514	7	oc-gn	M48 = NGC 2548	5	oc	M76 = NGC 650	1,2	pn	M103 = NGC 581	1,2	oc
M21 = NGC 6531	7	oc	M49 = NGC 4472	5,6	gx	M77 = NGC 1068	3	gx	M104 = NGC 4594	6	gx
M22 = NGC 6656	7	gc	M50 = NGC 2323	4	oc	M78 = NGC 2068/71	4	gn	M105 = NGC 3379	5	gx
M23 = NGC 6494	7	oc	M51 = NGC 5194	1,2	gx	M79 = NGC 1904	4	gc	M106 = NGC 4258	1,2,5	gx
M24 = IC 4715	7	* cld	M52 = NGC 7654	1,2	oc	M80 = NGC 6093	6,7	gc	M107 = NGC 6171	7	gc
M25 = IC 4725	7	oc	M53 = NGC 5024	6	gc	M81 = NGC 3031	1,2	gx	M108 = NGC 3556	1,2	gx
M26 = NGC 6694	7	oc	M54 = NGC 6715	7	gc	M82 = NGC 3034	1,2	gx	M109 = NGC 3992	1,2	gx
M27 = NGC 6853	7,8	pn	M55 = NGC 6809	7,8	gc	M83 = NGC 5236	6	gx	M110 = NGC 205	1,2,3	gx
M28 = NGC 6626	7	gc	M56 = NGC 6779	7	gc						

MAGNITUDE CLASSIFICATION

p	=	photographic-blue
v	=	visual
V	=	photoelectric visual
B	=	photoelectric blue

CONSTELLATION SUMMARY

Name	Pronunciation	Meaning	Possessive Form	Abbr.	Map
Andromeda	An-DROM-eh-da	Princess Andromeda	Andromedae	And	3,8
Antlia	ANT-lee-ah	Air Pump	Antliae	Ant	5
Apus	AY-pus	Bird of Paradise	Apodis	Aps	9,10
Aquarius	AK-WARE-ee-us	Water Carrier	Aquarii	Aqr	8
Aquila	AK-will-ah	Eagle	Aquilae	Aql	7,8
Ara	A-ra, AY-rah	Altar	Arae	Ara	10
Aries	AY-ri-eez	Ram	Arietis	Ari	3
Auriga	Aw-RYE-ga	Charioteer	Aurigae	Aur	4
Boötes	Bo-OH-teez	Herdsman	Bootis	Boo	6
Caelum	SEE-lum	Graving Tool	Caeli	Cae	4,9
Camelopardalis	Ka-MEL-oh-pard-al-iss	Giraffe	Camelopardalis	Cam	1,2
Cancer	KAN-ser	Crab	Cancri	Cnc	5
Canes Venatici	KAY-neez Ve-NAT-i-sy	Hunting Dogs	Canum Venaticorum	CVn	1,2,5
Canis Major	KAY-nis MAY-jer	Large Dog	Canis Majoris	CMa	4
Canis Minor	KAY-nis MY-ner	Small Dog	Canis Minoris	CMi	4
Capricornus	KAP-ri-kor-nus	Sea Goat	Capricorni	Cap	8
Carina	Ka-RYE-na, Ka-REE-na	Ship's Keel	Carinae	Car	9
Cassiopeia	Kass-ee-oh-PEE-ah	Queen Cassiopeia	Cassiopeiae	Cas	1,2
Centaurus	Sen-TORE-us	Centaur	Centauri	Cen	6,9,10
Cepheus	SEE-fuse, SEE-fuss	King Cepheus	Cephei	Cep	1,2
Cetus	SEE-tus	Sea Monster	Ceti	Cet	3
Chamaeleon	Ka-MEE-leon	Chameleon	Chamaeleontis	Cha	9,10
Circinus	CIR-si-nus	Drawing Compasses	Circini	Cir	10
Columba	Kol-LUM-ba	Dove	Columbae	Col	4
Coma Berenices	KO-ma Beren-EYE-seez	Berenice's Hair	Comae Berenices	Com	6
Corona Australis	Kor-OH-na Os-TRAL-iss	Southern Crown	Coronae Australis	CrA	7,10
Corona Borealis	Kor-OH-na Bor-ee-AL-iss	Northern Crown	Coronae Borealis	CrB	6,7
Corvus	KOR-vus	Crow	Corvi	Crv	5,6
Crater	KRAY-ter	Cup	Crateris	Crt	5
Crux	Krucks	Southern Cross	Crucis	Cru	9,1
Cygnus	SIG-nus	Swan	Cygni	Cyg	2,7,8
Delphinus	Del-FY-nus	Dolphin	Delphini	Del	8
Dorado	Do-RAH-do	Swordfish	Doradus	Dor	9
Draco	DRAY-ko	Dragon	Draconis	Dra	1,2
Equuleus	Ee-KWOO-lee-us	Colt	Equulei	Equ	8
Eridanus	Eh-RID-an-us	River	Eridani	Eri	3,4,9
Fornax	FOR-naks	Furnace	Fornacis	For	3
Gemini	JEM-in-eye	Twins	Geminorum	Gem	4
Grus	Grus	Crane	Gruis	Gru	8,9,10
Hercules	HER-cue-leez	Strong Man Hercules	Herculis	Her	7
Horologium	Hor-oh-LOW-jee-um	Clock	Horologii	Hor	3,4,9
Hydra	HIGH-dra	Female Water Serpent	Hydrae	Hya	5,6
Hydrus	HIGH-drus	Male Water Serpent	Hydri	Hyi	9,10
Indus	IN-dus	American Indian	Indi	Ind	9,10
Lacerta	La-SIR-ta	Lizard	Lacertae	Lac	1,2,8
Leo	LEE-oh	Lion	Leonis	Leo	5
Leo Minor	LEE-oh-MY-ner	Small Lion	Leonis Minoris	LMi	5
Lepus	LEE-pus	Hare	Leporis	Lep	4
Libra	LIE-bra, LEE-bra	Scales	Librae	Lib	6
Lupus	LEW-puss	Wolf	Lupi	Lup	6,10
Lynx	Links	Lynx (Bobcat)	Lyncis	Lyn	1,5
Lyra	LIE-ra	Lyre	Lyrae	Lyr	7
Mensa	MEN-sa	Table Mountain	Mensae	Men	9,10
Microscopium	Micro-SCOPE-ee-um	Microscope	Microscopii	Mic	8,10
Monoceros	Mo-NOS-eros	Unicorn	Monocerotis	Mon	4
Musca	MUS-ka	Fly	Muscae	Mus	9,10
Norma	NOR-ma	Carpenter's Square	Normae	Nor	7,10
Octans	OK-tans	Octant	Octantis	Oct	9,10
Ophiuchus	Oh-fee-YOU-kus	Serpent Bearer	Ophiuchi	Oph	7
Orion	Oh-RYE-an	Hunter Orion	Orionis	Ori	4
Pavo	PAY-vo	Peacock	Pavonis	Pav	10
Pegasus	PEG-a-sus	Flying Horse Pegasus	Pegasi	Peg	8
Perseus	PUR-see-us	Hero Perseus	Persei	Per	1,3
Phoenix	FEE-nicks	Phoenix	Phoenicis	Phe	3,9,10
Pictor	PICK-tor	Painter's Easel	Pictoris	Pic	9
Pisces	PIE-seez, PIS-eez	Fishes	Piscium	Psc	3,8
Piscis Austrinus	PIE-sis Os-TRY-nus	Southern Fish	Piscis Austrini	PsA	8
Puppis	PUP-is	Ship's Stern	Puppis	Pup	4,9
Pyxis	PIK-sis	Mariner's Compass	Pyxidis	Pyx	5
Reticulum	Re-TICK-you-lum	Reticle	Recticuli	Ret	9
Sagitta	Sa-JIH-ta	Arrow	Sagittae	Sge	7,8
Sagittarius	Sa-jih-TARE-ee-us	Archer	Sagittarii	Sgr	7
Scorpius	SCORE-pee-us	Scorpion	Scorpii	Sco	7
Sculptor	SKULP-tor	Sculptor's Apparatus	Sculptoris	Scl	3,8
Scutum	SKYOO-tum	Shield	Scuti	Sct	7
Serpens (Caput, Cauda)	SIR-pens (Ka-put, KAY-uda)	Serpent (Head, Tail)	Serpentis	Ser	6,7
Sextans	SEX-tans	Sextant	Sextantis	Sex	5
Taurus	TORE-us	Bull	Tauri	Tau	3,4
Telescopium	Te-le-SCOPE-ee-um	Telescope	Telescopii	Tel	7,10
Triangulum	Tri-ANG-you-lum	Triangle	Trianguli	Tri	3
Triangulum Australe	Tri-ANG-you-lum Os-TRAY-lee	Southern Triangle	Trianguli Australis	TrA	9
Tucana	Too-KAN-ah	Toucan	Tucanae	Tuc	9,10
Ursa Major	ER-sa MAY-jer	Great Bear	Ursae Majoris	UMa	1,2,5
Ursa Minor	ER-sa MY-ner	Small Bear	Ursae Minoris	UMi	1,2
Vela	VEE-la	Ship's Sails	Velorum	Vel	5,9
Virgo	VER-go	Virgin	Virginis	Vir	6
Volans	VO-lanz	Flying Fish	Volantis	Vol	9
Vulpecula	Vul-PECK-you-la	Fox	Vulpeculae	Vul	7,8

1

DEEP–SKY OBJECTS

Name	R.A h m	Dec ° ′	Con	Type	V	Dimensions	Notes
GALAXIES							
NGC 147	0 33.2	+48 30	Cas	E5	9.5	13′.2 × 7′.8	
NGC 185	0 39.0	+48 20	Cas	E3	9.2	8′.0 × 7′.0	
NGC 205	0 40.4	+41 41	And	E5	8.1	21′.9 × 11′.0	M110
NGC 221	0 42.7	+40 52	And	cE2	8.1	8′.7 × 6′.5	M32
NGC 224	0 42.7	+41 16	And	SAb	3.4	190′.5 × 61′.7	M31, (1)
NGC 891	2 22.6	+42 21	And	SAb?	9.9	11′.7 × 1′.6	
NGC 925	2 27.3	+33 35	Tri	SABd	10.1	10′.5 × 5′.9	
NGC 1023	2 40.4	+39 04	Per	SB0⁻	9.3	7′.4 × 2′.5	
IC 342	3 46.8	+68 06	Cam	SABcd	8.4	21′.4 × 20′.9	
NGC 2403	7 36.9	+65 36	Cam	SABcd	8.5	21′.9 × 12′.3	
NGC 2683	8 52.7	+33 25	Lyn	SAb	9.8	9′.3 × 2′.1	
NGC 2768	9 11.6	+60 02	UMa	E6:	9.9	6′.4 × 3′.0	
NGC 2841	9 22.0	+50 58	UMa	SAb	9.2	8′.1 × 3′.5	
NGC 3031	9 55.6	+69 04	UMa	SAab	6.9	26′.9 × 14′.1	M81
NGC 3034	9 55.8	+69 41	UMa	I0	8.4	11′.2 × 4′.3	M82
NGC 3077	10 03.3	+68 44	UMa	I0	9.8	5′.4 × 4′.5	
NGC 3184	10 18.3	+41 25	UMa	SABcd	9.8	7′.4 × 6′.9	
NGC 3556	11 11.5	+55 40	UMa	SBcd	10.0	8′.7 × 2′.2	M108
NGC 3992	11 57.6	+53 23	UMa	SBbc	9.8	7′.6 × 4′.6	M109
NGC 4125	12 08.1	+65 11	Dra	E6	9.7	5′.8 × 3′.2	
NGC 4258	12 19.0	+47 18	CVn	SABbc	8.4	18′.6 × 7′.2	M106
NGC 4449	12 28.2	+44 06	CVn	IBm	9.6	6′.2 × 4′.4	
NGC 4490	12 30.6	+41 38	CVn	SBd	9.8	6′.3 × 3′.1	
NGC 4736	12 50.9	+41 07	CVn	SAab	8.2	14′.4 × 12′.1	M94
NGC 5055	13 15.8	+42 02	CVn	SAbc	8.6	12′.6 × 7′.2	M63
NGC 5194	13 29.9	+47 12	CVn	SAbc	8.4	11′.2 × 6′.9	M51, (8)
NGC 5195	13 30.0	+47 16	CVn	I0 pec	9.5	5′.8 × 4′.6	(9)
NGC 5322	13 49.3	+60 12	UMa	E3–4	10.2	5′.9 × 3′.9	
OPEN CLUSTERS							
NGC 457	1 19.1	+58 20	Cas	oc	6.4	20′	(2)
NGC 581	1 33.2	+60 42	Cas	oc	7.4	6′	M103
NGC 654	1 44.1	+61 53	Cas	oc	6.5	6′	
NGC 752	1 57.8	+37 41	And	oc	5.7	75′	
Stock 2	2 15.0	+59 16	Cas	oc	4.4	60′	
NGC 869	2 19.0	+57 09	Per	oc	5.3	18′	h Per
NGC 884	2 22.4	+57 07	Per	oc	6.1	18′	χ Per
IC 1805	2 32.7	+61 27	Cas	oc-gn	6.5	22′	(3)
Trumpler 2	2 37.3	+55 59	Per	oc	5.9	17′	
NGC 1039	2 42.0	+42 47	Per	oc	5.2	25′	M34
NGC 1027	2 42.7	+61 33	Cas	oc	6.7	15′	
IC 1848	2 51.2	+60 26	Cas	oc-gn	6.5	12′	(4)
Stock 23	3 16.3	+60 02	Cam	oc	6.5	29′	
Melotte 20	3 24.3	+49 52	Per	oc	2.3	300′	(5)
NGC 1342	3 31.6	+37 20	Per	oc	6.7	17′	
NGC 1502	4 07.7	+62 20	Cam	oc	6.9	20′	
NGC 1528	4 15.4	+51 14	Per	oc	6.4	18′	
NGC 1545	4 20.9	+50 15	Per	oc	6.2	12′	
NGC 2281	6 49.3	+41 04	Aur	oc	5.4	25′	
NGC 7160	21 53.7	+62 36	Cep	oc	6.1	5′	
NGC 7243	22 15.3	+49 53	Lac	oc	6.4	30′	
NGC 7654	23 24.2	+61 35	Cas	oc	6.9	16′	M52
NGC 7789	23 57.0	+56 44	Cas	oc	6.7	25′	
PLANETARY NEBULAE							
NGC 650	1 42.4	+51 34	Per	pn	10.1	3′.1 × 2′.2	M76 (18)
IC 3568	12 33.1	+82 34	Cam	pn	10.6	10″	
NGC 3587	11 14.8	+55 01	UMa	pn	9.9	2′.8	M97 (7)
NGC 7662	23 25.9	+42 33	And	pn	8.3	37″ × 34″	
DIFFUSE NEBULA							
NGC 1499	4 00.7	+36 37	Per	gn	~5	160′ × 40′	(6)

DOUBLE STARS

Name	R.A h m	Dec ° ′	Con	V	Sep (Date)	Notes
ADS 1	0 02.6	+66 06	Cas	5.9, 7.5	15″.2 (1969)	
ADS 671 = η Cas	0 49.1	+57 49	Cas	3.4, 7.5	12″.9 (2000)	
ADS 824	1 00.1	+44 43	And	6.0, 6.8	7″.8 (1967)	
ADS 1534 = 56 And	1 56.2	+37 15	And	5.7, 5.9	3″.6 (2000)	(10)
ADS 1630 = γ And	2 03.9	+42 20	And	2.3, 4.8	9″.7 (1983)	(11)
ADS 1683 = 59 And	2 10.9	+39 02	And	5.6, 6.1	16″.7 (1972)	
ADS 1860 = ι Cas	2 29.1	+67 42	Cas	4.6, 6.9	2″.5 (2000)	(13)
ADS 1477 = α UMi	2 31.8	+89 16	UMi	2.0, 8.2	18″.4 (1973)	(14)
ADS 2270	3 00.9	+52 21	Per	5.3, 6.7	12″.3 (1973)	
ADS 2582	3 31.3	+27 34	Tau	6.6, 7.0	11″.3 (1973)	
ADS 3274 = 1 Cam	4 32.0	+53 55	Cam	5.8, 6.9	10″.1 (1981)	
ADS 4773 = 41 Aur	6 11.6	+48 43	Aur	6.3, 7.0	7″.7 (1973)	
ADS 5400 = 12 Lyn	6 46.2	+59 27	Lyn	5.4, 6.0	1″.7 (2000)	(15)
ADS 6012 = 19 Lyn	7 22.9	+55 17	Lyn	5.6, 6.5	15″.0 (1965)	
ADS 6988 = ι Cnc	8 46.7	+28 46	Cnc	4.0, 6.6	30″.4 (1973)	
ADS 7137 = 66 Cnc	9 01.4	+32 15	Cnc	5.9, 8.0	4″.5 (1973)	
ADS 7292 = 38 Lyn	9 18.8	+36 48	Lyn	3.9, 6.6	2″.7 (1968)	
ADS 8682	12 49.2	+83 25	Cam	5.3, 5.8	21″.6 (1958)	
ADS 8706 = α CVn	12 56.0	+38 19	CVn	2.9, 5.6	19″.4 (1974)	(13)
ADS 8891 = ζ UMa	13 23.9	+54 56	UMa	2.3, 4.0	14″.4 (1977)	(16)
ADS10759 = ψ Dra	17 41.9	+72 09	Dra	4.6, 5.8	30″.3 (1977)	
ADS11061 = 41/40 Dra	18 00.2	+80 00	Dra	5.7, 6.0	19″.1 (1975)	
ADS11870	18 53.6	+75 47	Dra	6.6, 7.4	5″.6 (1968)	
ADS13007 = ε Dra	19 48.2	+70 16	Dra	3.8, 7.4	3″.1 (1976)	
ADS15032 = β Cep	21 28.7	+70 34	Cep	3.2, 7.8	13″.4 (1975)	(13)
ADS15600 = ξ Cep	22 03.8	+64 38	Cep	4.4, 6.4	7″.8 (1982)	
ADS16666 = ο Cep	23 18.6	+68 07	Cep	4.9, 7.1	2″.8 (2000)	
ADS17140 = σ Cas	23 59.0	+55 45	Cas	5.0, 7.1	3″.1 (1981)	

VARIABLE STARS

Name	R.A h m	Dec. ° ′	Type	Magnitude Range	Epoch (2400000+)	Period (days)
ECLIPSING VARIABLE STARS						
U Cep	1 02.3	+81 53	EA	6.75–9.24V	44541.603	2.493
β Per	3 08.2	+40 57	EA	2.12–3.40V	40953.465	2.867
ε Aur	5 02.0	+43 49	EA	2.92–3.83V	35629	9892
W UMa	9 43.8	+55 57	EW	7.9–8.63V	41004.397	0.333
PULSATING VARIABLE STARS						
KK Per	2 10.3	+56 34	Lc	6.6–7.78V		
R Tri	2 37.0	+34 16	M	5.4–12.6v	42014	266.48
ρ Per	3 05.2	+38 50	SRb	3.30–4.0v		50:
VY UMa	10 45.1	+67 25	Lb	5.89–6.5 V		
VW UMa	10 59.0	+69 59	SR	6.85–7.71V		125
RY UMa	12 20.5	+61 19	SRb	6.68–8.5V	40810	311
V CVn	13 19.5	+45 32	SRa	6.52–8.56V	43929	191.89
UX Dra	19 21.6	+76 34	SRa	5.94–7.1v		168:
T Cep	21 09.5	+68 29	M	5.2–11.3v	44177	388.14
μ Cep	21 43.5	+58 47	SRc	3.43–5.1v		730
δ Cep	22 29.2	+58 25	δ Cep	3.48–4.37V	36075.445	5.366
OTHER VARIABLE STARS						
EG And	0 44.5	+40 41	Z And	7.08–7.8V		

NOTES

1. Andromeda Galaxy
2. Includes φ¹,² Cas
3. Nebula covers large area
4. Nebula 40′ in diameter
5. α Persei cluster
6. California Nebula
7. Owl Nebula
8. Whirlpool Galaxy
9. Companion to M51
10. Optical; binocular pair
11. Fainter star is close pair
12. Same as TZ Tri, brighter star slightly variable (not = ι Tri)
13. Brighter star slightly variable
14. Polaris, brighter star slightly variable
15. Third star: V=7.3; 8″.6 (1980)
16. Mizar; Alcor (V=4.0) is 11′.8 east-northeast
17. Brighter star is very close pair
18. Little Dumbbell Nebula

BRIGHT STARS ON MAP 1
FOR DIGITAL POINTER SETUP

Name	RA (2000.0) Dec		V	Comments
gamma (γ) Cas	0 56 42.5	+60 43 00	2.5	—
gamma (γ) And	2 03 54.0	+42 19 47	2.3	brighter of pair
Capella	5 16 41.4	+45 59 53	0.1	alpha (α) Aur
alpha (α) UMa	11 03 43.7	+61 45 03	1.8	—
eta (η) UMa	13 47 32.4	+49 18 48	1.9	—
beta (β) UMi	14 50 42.3	+74 09 20	2.1	Kochab

Magnitudes (V)

–0.5 and brighter   0.0   0.5   1.0   1.5   2.0   2.5   3.0   3.5   4.0   4.5   5.0   5.5   6.0   6.5

Double stars   Variable stars   Open clusters   Globular clusters   Diffuse neb.   Planetary neb.   Galaxies

Constellation boundaries   Ecliptic   170°   Galactic equator   90°

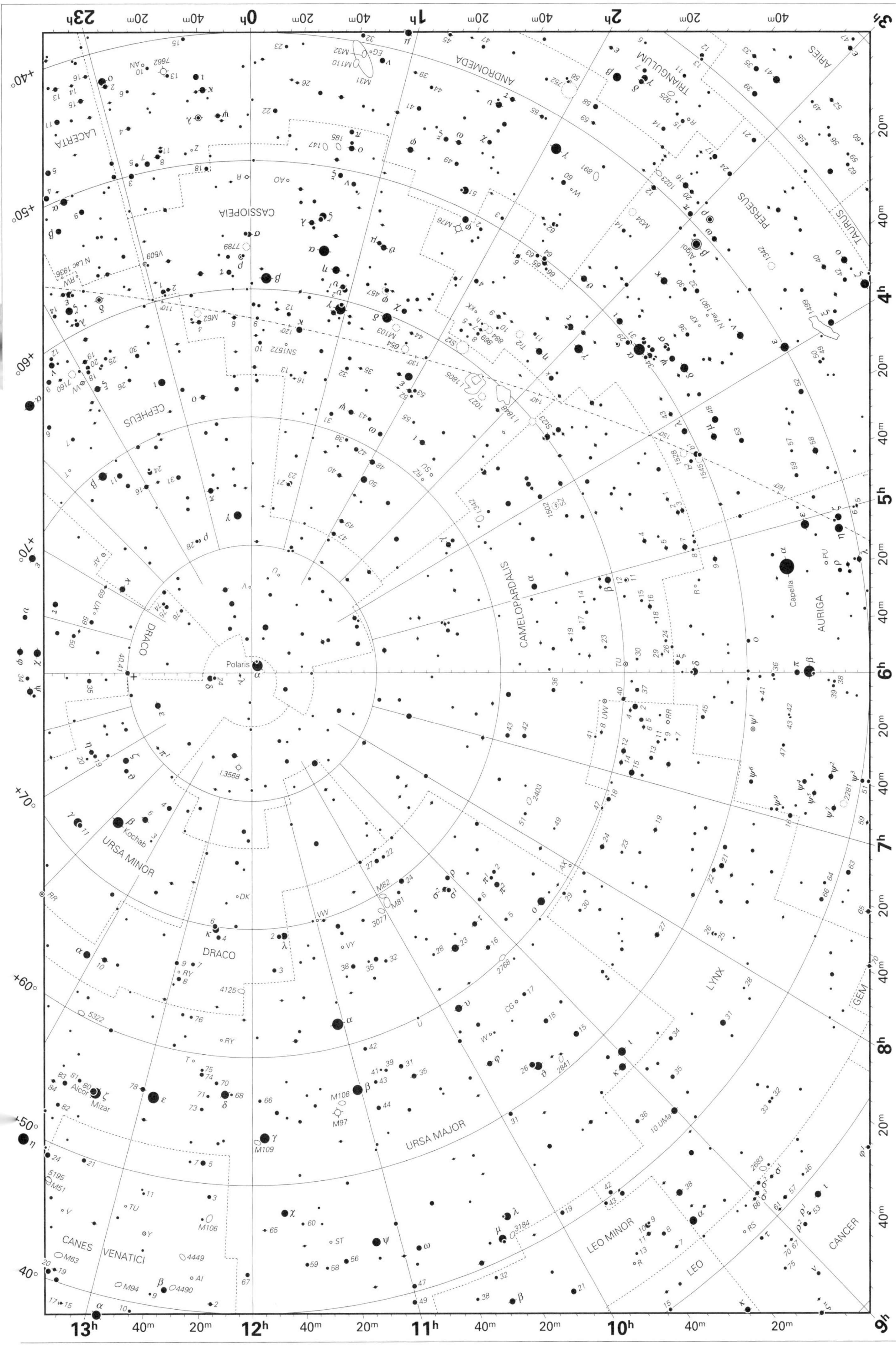

23h 20m 40m 0h 20m 40m 1h 20m 40m 2h 20m 40m 3h

+40° +50° +60° +70° +70° +60° +50° +40°

20m 40m 20m 40m 20m 40m 20m 40m 20m

LACERTA

CASSIOPEIA

ANDROMEDA

TRIANGULUM

ARIES

PERSEUS

TAURUS

M31 M110 M32

CEPHEUS

CAMELOPARDALIS

AURIGA

Capella

DRACO

Polaris

URSA MINOR

Kochab

LYNX

GEM

DRACO

URSA MAJOR

M108

M97

M109

LEO MINOR

CANCER

Alcor Mizar

CANES VENATICI

M51

M63

M94

LEO

13h 40m 20m 12h 40m 20m 11h 40m 20m 10h 40m 20m 9h

WIL TIRION & WILL REMAKLUS

DEEP-SKY OBJECTS

GALAXIES

Name	RA h m	Dec ° '	Con	Type	V	Dimensions	Notes
NGC 147	0 33.2	+48 30	Cas	E5	9.5	13.2 × 7.8	
NGC 185	0 39.0	+48 20	Cas	E3	9.2	8.0 × 7.0	
NGC 205	0 40.4	+41 41	And	E5	8.1	21.9 × 11.0	M110
NGC 221	0 42.7	+40 52	And	cE2	8.1	8.7 × 6.5	M32
NGC 224	0 42.7	+41 16	And	SAb	3.4	190.5 × 61.7	M31, (1)
NGC 3031	9 55.6	+69 04	UMa	SAab	6.9	26.9 × 14.1	M81
NGC 3034	9 55.8	+69 41	UMa	I0	8.4	11.2 × 4.3	M82
NGC 3077	10 03.3	+68 44	UMa	I0	9.8	5.4 × 4.5	
NGC 3556	11 11.5	+55 40	UMa	SBcd	10.0	8.7 × 2.2	M108
NGC 3992	11 57.6	+53 23	UMa	SBbc	9.8	7.6 × 4.6	M109
NGC 4125	12 08.1	+65 11	Dra	E6	9.7	5.8 × 3.2	
NGC 4258	12 19.0	+47 18	CVn	SABbc	8.4	18.6 × 7.2	M106
NGC 4449	12 28.2	+44 06	CVn	IBm	9.6	6.2 × 4.4	
NGC 4490	12 30.6	+41 38	CVn	SBd	9.8	6.3 × 3.1	
NGC 4736	12 50.9	+41 07	CVn	SAab	8.2	14.4 × 12.1	M94
NGC 5055	13 15.8	+42 02	CVn	SAbc	8.6	12.6 × 7.2	M63
NGC 5194	13 29.9	+47 12	CVn	SAbc	8.4	11.2 × 6.9	M51, (5)
NGC 5195	13 30.0	+47 16	CVn	I0 pec	9.5	5.8 × 4.6	(6)
NGC 5322	13 49.3	+60 12	UMa	E3-4	10.2	5.9 × 3.9	
NGC 5457	14 03.2	+54 21	UMa	SABcd	7.9	28.8 × 26.9	M101
NGC 5866	15 06.5	+55 46	Dra	SA0+	9.9	6.4 × 2.9	(7)
NGC 6946	20 34.8	+60 09	Cyg	SABcd	8.8	11.5 × 9.8	

OPEN CLUSTERS

Name	RA h m	Dec ° '	Con	Type	V	Dimensions	Notes
NGC 457	1 19.1	+58 20	Cas	oc	6.4	20'	(2)
NGC 581	1 33.2	+60 42	Cas	oc	7.4	6'	M103
NGC 654	1 44.1	+61 53	Cas	oc	6.5	6'	
Stock 2	2 15.0	+59 16	Cas	oc	4.4	60'	
NGC 6811	19 37.0	+46 24	Cyg	oc	6.8	15'	
NGC 6871	20 05.9	+35 47	Cyg	oc	5.2	30'	(15)
NGC 6910	20 23.1	+40 47	Cyg	oc	7.4	10'	
NGC 6913	20 23.9	+38 32	Cyg	oc	6.6	10'	M29
NGC 6940	20 34.4	+28 18	Vul	oc	6.0	25'	
NGC 7092	21 32.2	+48 26	Cyg	oc	4.6	31'	M39
IC 1396	21 39.1	+57 30	Cep	oc-gn	~4	170' × 140'	
NGC 7160	21 53.7	+62 36	Cep	oc	6.1	5'	
NGC 7243	22 15.3	+49 53	Lac	oc	6.4	30'	
NGC 7654	23 24.2	+61 35	Cas	oc	6.9	16'	M52
NGC 7789	23 57.0	+56 44	Cas	oc	6.7	25'	

GLOBULAR CLUSTERS

Name	RA h m	Dec ° '	Con	Type	V	Dimensions	Notes
NGC 6341	17 17.1	+43 08	Her	gc	6.5	14'	M92

PLANETARY NEBULAE

Name	RA h m	Dec ° '	Con	Type	V	Dimensions	Notes
NGC 650	1 42.4	+51 34	Per	pn	10.1	3.1 × 2.2	M76 (21)
NGC 3587	11 14.8	+55 01	UMa	pn	9.9	2.8	M97 (4)
IC 3568	12 33.1	+82 34	Cam	pn	10.6	10"	
NGC 6543	17 58.6	+66 38	Dra	pn	8.1	20"	
NGC 6826	19 44.8	+50 31	Cyg	pn	8.8	36"	(8)
NGC 7027	21 07.1	+42 14	Cyg	pn	8.5	55"	
NGC 7662	23 25.9	+42 33	And	pn	8.3	37" × 34"	

DIFFUSE NEBULAE

Name	RA h m	Dec ° '	Con	Type	V	Dimensions	Notes
NGC 6960	20 50	+31 00	Cyg	gn	~7	3.5 × 2.7	(16)
NGC 7000	20 58.8	+44 20	Cyg	gn	~4	120' × 100'	(17)

DOUBLE STARS

Name	RA h m	Dec ° '	Con	V	Sep (Date)	Notes
ADS 1	0 02.6	+66 06	Cas	5.9,7.5	15".2 (1969)	
ADS 671 = η Cas	0 49.1	+57 49	Cas	3.4,7.5	12".9 (2000)	
ADS 824	1 00.1	+44 43	And	6.0,6.8	7".8 (1967)	
ADS 1477 = α UMi	2 31.8	+89 16	UMi	2.0,8.2	18".4 (1973)	(9)
ADS 8682	12 49.2	+83 25	Cam	5.3,5.8	21".6 (1958)	
ADS 8706 = α CVn	12 56.0	+38 19	CVn	2.9,5.6	19".4 (1974)	(14)
ADS 8891 = ζ UMa	13 23.9	+54 56	UMa	2.3,4.0	14".4 (1977)	(18)
ADS 9173 = κ Boo	14 13.5	+51 47	Boo	4.5,6.7	13".4 (1973)	
ADS 9406 = 39 Boo	14 49.7	+48 43	Boo	6.2,6.9	2".9 (1981)	
ADS 9372 = ε Boo	14 45.0	+27 04	Boo	2.5,4.9	2".8 (1977)	
ADS 10129 = 17 Dra	16 36.2	+52 55	Dra	5.4,6.4	3".2 (1976)	(10)
ADS 10345 = μ Dra	17 05.3	+54 28	Dra	5.7,5.7	1".9 (2000)	
ADS 10628 = ν Dra	17 32.2	+55 11	Dra	4.9,4.9	61".9 (1967)	(11)
ADS 10759 = ψ Dra	17 41.9	+72 09	Dra	4.6,5.8	30".3 (1977)	
ADS 11061 = 41/40 Dra	18 00.2	+80 00	Dra	5.7,6.0	19".1 (1975)	
ADS 11635 = ε¹ Lyr	18 44.3	+39 40	Lyr	5.0,6.1	2".6 (2000)	(12)
ADS 11635 = ε² Lyr	18 44.4	+39 37	Lyr	5.2,5.5	2".3 (2000)	
ADS 11870	18 53.6	+75 47	Dra	6.6,7.4	5".6 (1968)	
ADS 12169	19 12.1	+49 51	Cyg	6.6,6.8	7".9 (1976)	
ADS 12815 = 16 Cyg	19 41.8	+50 32	Cyg	6.0,6.2	39".3 (1955)	(11)
ADS 12880 = δ Cyg	19 45.0	+45 08	Cyg	2.9,6.3	2".5 (2000)	
ADS 12893	19 45.7	+36 05	Cyg	6.4,7.2	14".9 (1967)	
ADS 13007 = ε Dra	19 48.2	+70 16	Dra	3.8,7.4	3".1 (1976)	
ADS 13554 = o¹ 31 Cyg	20 13.6	+46 44	Cyg	3.8,6.7	1".8 (1926)	(13)
ADS 13692	20 18.4	+55 24	Cyg	6.1,7.5	2".5 (1978)	
ADS 14158 = 49 Cyg	20 41.0	+32 18	Cyg	5.7,7.8	2".5 (1973)	
ADS 14636 = 61 Cyg	21 06.9	+38 45	Cyg	5.2,6.0	30".3 (2000)	
ADS 14682	21 08.6	+30 12	Cyg	5.8,7.8	3".4 (1980)	(19)
ADS 15032 = β Cep	21 28.7	+70 34	Cep	3.2,7.8	13".4 (1975)	(14)
ADS 15600 = ξ Cep	22 03.8	+64 38	Cep	4.4,6.4	7".8 (1982)	
ADS 16095 = 8 Lac	22 35.9	+39 38	Lac	5.7,6.4	22".4 (1969)	
ADS 16666 = o Cep	23 18.6	+68 07	Cep	4.9,7.1	2".8 (2000)	
ADS 17140 = σ Cas	23 59.0	+55 45	Cas	5.0,7.1	3".1 (1981)	

VARIABLE STARS

Name	RA h m	Dec ° '	Type	Magnitude Range	Epoch (2400000+)	Period (days)
ECLIPSING VARIABLE STARS						
U Cep	1 02.3	+81 53	EA	6.75–9.24V	44541.603	2.493
i Boo	15 03.8	+47 39	EW	6.5–7.1v	39370.422	0.267
VV Cep	21 56.7	+63 38	EA	4.80–5.36V	43360	7430
AR Lac	22 08.7	+45 45	E	6.11–6.77V	39376.495	1.983
PULSATING VARIABLE STARS						
VY UMa	10 45.1	+67 25	Lb	5.89–6.5V		
VW UMa	10 59.0	+69 59	SR	6.85–7.71V		125
RY UMa	12 20.5	+61 19	SRb	6.68–8.5V	40810	311
V CVn	13 19.5	+45 32	SRa	6.52–8.56V	43929	191.89
AT Dra	16 17.3	+59 45	Lb	6.8–7.5p		
g Her	16 28.6	+41 53	SRb	5.7–7.2p		70:
VW Dra	17 16.5	+60 40	SRd	6.0–6.5v		170:
OP Her	17 56.8	+45 21	Lb	7.7–8.3p		
R Lyr	18 55.3	+43 57	SRb	3.88–5.0V	35920	46.0
RR Lyr	19 25.5	+42 47	RRab	7.06–8.12V	42995.405	0.566
UX Dra	19 21.6	+76 34	SRa	5.94–7.1v		168:
X Cyg	20 43.4	+35 35	δ Cep	5.87–6.86V	35915.918	16.386
T Vul	20 51.5	+28 15	δ Cep	5.44–6.06V	35934.758	4.435
T Cep	21 09.5	+68 29	M	5.2–11.3v	44177	388.14
μ Cep	21 43.5	+58 47	SRc	3.43–5.1v		730
δ Cep	22 29.2	+58 25	δ Cep	3.48–4.37V	36075.445	5.366
ERUPTIVE VARIABLE STARS						
P Cyg	20 17.8	+38 02	S Dor	3.0–6.0v		
SS Cyg	21 42.7	+43 35	UG	8.2–12.4v		50.1:
OTHER VARIABLE STARS						
EG And	0 44.5	+40 41	Z And	7.08–7.8V		
AG Dra	16 01.7	+66 48	Z And	8.8–11.8p		
CH Cyg	19 24.5	+50 14	Z And	6.4–8.7 v		97

NOTES

1. Andromeda Galaxy
2. Includes φ¹,² Cas
3. Nebula covers large area
4. Owl Nebula
5. Whirlpool Galaxy
6. M51 companion
7. Not M102
8. Bright central star
9. Polaris, brighter star slightly variable
10. 16 Dra (V=5.5) is 1.5 south
11. Binocular pair
12. "Double-Double"
13. Same as V695 Cyg, brighter star slightly variable; third star: V=7.0; 1.8 (1926); fourth star: V=4.8; 5.6 (1926)
14. Brighter star slightly variable
15. Includes 27 Cyg
16. Veil Nebula, supernova remnant
17. North America Nebula
18. Mizar. Alcor (V=4.0) is 11.8 east-northeast
19. Same as V389 Cyg, brighter star slightly variable
20. Same as TZ CrB, brighter star slightly variable
21. Little Dumbell Nebula

BRIGHT STARS ON MAP 2 FOR DIGITAL POINTER SETUP

Name	RA (2000.0) Dec		V	Comments
gamma (γ) Cas	0 56 42.5	+60 43 00	2.5	—
alpha (α) UMa	11 03 43.7	+61 45 03	1.8	—
eta (η) UMa	13 47 32.4	+49 18 48	1.9	—
beta (β) UMi	14 50 42.3	+74 09 20	2.1	Kochab
alpha (α) Cep	21 18 34.8	+62 35 08	2.4	—
Deneb	20 41 25.9	+45 16 49	1.3	alpha (α) Cyg

Magnitudes (V)

-0.5 and brighter — 0.0 — 0.5 — 1.0 — 1.5 — 2.0 — 2.5 — 3.0 — 3.5 — 4.0 — 4.5 — 5.0 — 5.5 — 6.0 — 6.5

 Double stars   Variable stars   Open clusters   Globular clusters Diffuse neb. Planetary neb. Galaxies

Constellation boundaries ······ Ecliptic — — — 170° — — — Galactic equator — — — 90° — — —

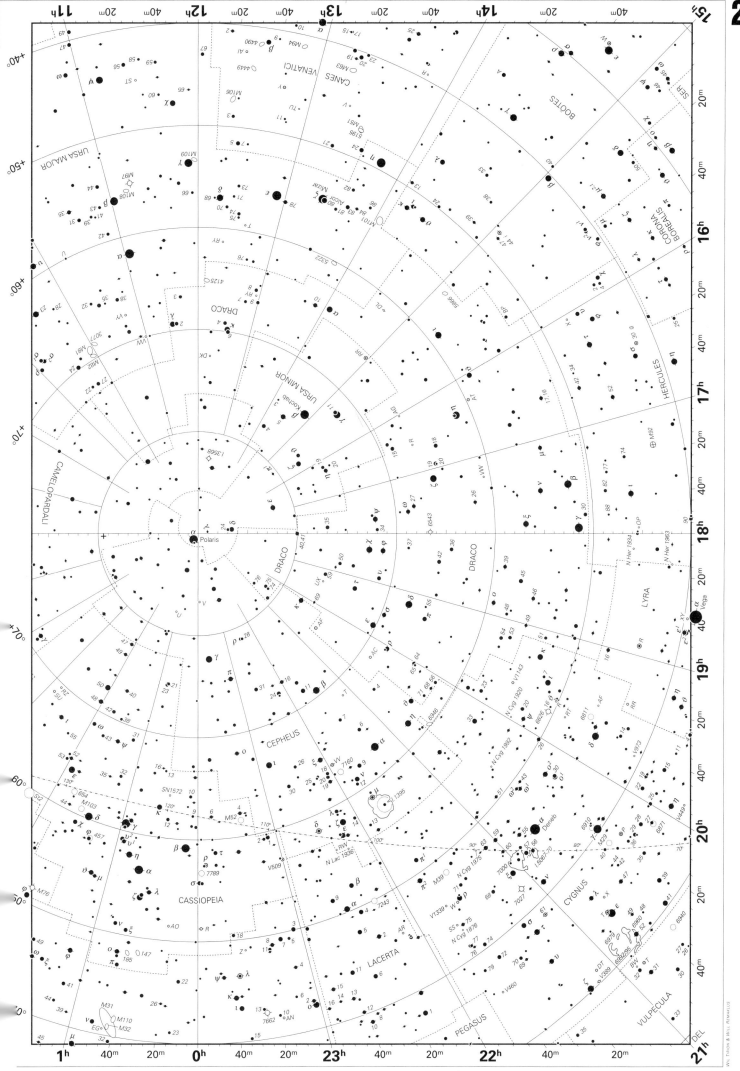

DEEP–SKY OBJECTS

GALAXIES

Name	R.A h m	Dec. ° '	Con	Type	V	Dimensions	Notes
NGC 55	0 14.9	–39 11	Scl	SBm	7.9	32´.4 × 5´.6	
NGC 147	0 33.2	+48 30	Cas	E5	9.5	13´.2 × 7´.8	
NGC 185	0 39.0	+48 20	Cas	E3	9.2	8´.0 × 7´.0	
NGC 205	0 40.4	+41 41	And	E5	8.1	21´.9 × 11´.0	M110
NGC 221	0 42.7	+40 52	And	cE2	8.1	8´.7 × 6´.5	M32
NGC 224	0 42.7	+41 16	And	SAb	3.4	190´.5 × 61´.7	M31, (1)
NGC 247	0 47.1	–20 46	Cet	SAB	9.1	19´.2 × 5´.5	
NGC 253	0 47.6	–25 17	Scl	SAB	7.2	29´ × 6´.8	(2)
NGC 300	0 54.9	–37 41	Scl	SAd	8.1	19´ × 12´.9	
NGC 598	1 33.9	+30 39	Tri	SAcd	5.7	70´.8 × 41´.7	M33, (3)
NGC 613	1 34.3	–29 25	Scl	SBbc	10.1	5´.5 × 4´.2	
NGC 628	1 36.7	+15 47	Psc	SAc?	9.4	10´.5 × 9´.5	M74
NGC 891	2 22.6	+42 21	And	SAb?	9.9	11´.7 × 1´.6	
NGC 925	2 27.3	+33 35	Tri	SABd	10.1	10´.5 × 5´.9	
NGC 1023	2 40.4	+39 04	Per	SB0⁻	9.3	7´.4 × 2´.5	
NGC 1068	2 42.7	– 0 01	Cet	SAb	8.9	7´.1 × 6´.0	M77, (4)
NGC 1097	2 46.3	–30 17	For	SBb	9.5	9´.3 × 6´.3	
NGC 1232	3 09.8	–20 35	Eri	SABc	9.9	7´.4 × 6´.5	
NGC 1291	3 17.3	–41 08	Eri	SB0/a	8.5	11´ × 9´.5	
NGC 1316	3 22.7	–37 12	For	SAB0°:	8.5	11´.0 × 7´.2	
NGC 1365	3 33.6	–36 08	For	SBb	9.6	11´.0 × 6´.2	
NGC 1398	3 38.9	–26 20	For	SBab	9.7	7´.1 × 5´.4	
NGC 1399	3 38.5	–35 27	For	E⁺1	9.6	6´.9 × 6´.5	(7)
NGC 1407	3 40.2	–18 35	Eri	E⁺0	9.7	4´.6 × 4´.3	
NGC 1433	3 42.0	–47 13	Hor	SBab	9.9	6´.5 × 5´.9	
NGC 7793	23 57.8	–32 35	Scl	SAd	9.1	9´.3 × 6´.3	

OPEN CLUSTERS

Name	R.A h m	Dec. ° '	Con	Type	V	Dimensions	Notes
NGC 752	1 57.8	+37 41	And	oc	5.7	75´	
NGC 1039	2 42.0	+42 47	Per	oc	5.2	25´	M34
Melotte 20	3 24.3	+49 52	Per	oc	2.3	300´	(5)
NGC 1342	3 31.6	+37 20	Per	oc	6.7	17´	
Pleiades	3 47.0	+24 07	Tau	oc-gn	1.2	120´	M45
Hyades	4 28.6	+15 58	Tau	oc	0.5	330´	

GLOBULAR CLUSTER

Name	R.A h m	Dec. ° '	Con	Type	V	Dimensions	Notes
NGC 288	0 52.8	–26 35	Scl	gc	8.1	13´	

PLANETARY NEBULAE

Name	R.A h m	Dec. ° '	Con	Type	V	Dimensions	Notes
NGC 1360	3 33.3	–25 51	For	pn	9.4	6´.4	(6)
NGC 1514	4 09.3	+30 47	Tau	pn	10.9	2´.2	(15)
NGC 1535	4 14.2	–12 44	Eri	pn	9.6	51″ × 44″	

DIFFUSE NEBULAE

Name	R.A h m	Dec. ° '	Con	Type	V	Dimensions	Notes
NGC 1499	4 00.7	+36 37	Per	gn	~5	160´ × 40´	(8)

NOTES

1. Andromeda Galaxy
2. Brightest in Sculptor galaxy group
3. Triangulum Galaxy
4. Seyfert galaxy
5. α Persei cluster
6. Bright central star
7. Brightest in Fornax galaxy cluster
8. California Nebula
9. Same as UU Psc, brighter star slightly variable
10. Optical; binocular pair
11. Fainter star is close pair
12. Same as TZ Tri, brighter star slightly variable (not = ι Tri)
13. Binocular pair
14. Naked-eye pair in Hyades; brighter star slightly variable
15. Bright central star.

DOUBLE STARS

Name	R.A h m	Dec. ° '	Con	V	Sep (Date)	Notes
ADS 191 = 35 Psc	0 15.0	+ 8 49	Psc	6.0,7.8	11″.5 (1972)	(9)
ADS 683 = 65 Psc	0 49.9	+27 43	Psc	6.3,6.3	4″.6 (1970)	
ADS 824	1 00.1	+44 43	And	6.0,6.8	7″.8 (1967)	
ADS 899 = ψ Psc	1 05.6	+21 28	Psc	5.3,5.6	30″.0 (1972)	
ADS 996 = ζ Psc	1 13.7	+ 7 35	Psc	5.2,6.3	23″.0 (1974)	
τ Scl	1 36.1	–29 54	Scl	6.0,7.1	2″.2 (2000)	
ADS 1457 = 1 Ari	1 50.1	+22 17	Ari	6.2,7.4	2″.9 (1981)	
ADS 1507 = γ Ari	1 53.5	+19 18	Ari	4.8,4.8	7″.8 (1969)	
ADS 1615 = α Psc	2 02.1	+ 2 46	Psc	4.3,5.2	1″.8 (2000)	
ADS 1534 = 56 And	1 56.2	+37 15	And	5.7,5.9	3″.6 (2000)	(10)
ADS 1630 = γ And	2 03.9	+42 20	And	2.3,4.8	9″.7 (1983)	(11)
ADS 1683 = 59 And	2 10.9	+39 02	And	5.6,6.1	16″.7 (1972)	
ADS 1697 = 6 Tri	2 12.4	+30 18	Tri	5.2,6.4	3″.9 (1972)	(12)
ADS 1703 = 66 Cet	2 12.8	– 2 24	Cet	5.7,7.7	16″.5 (1975)	
ADS 1982 = 30 Ari	2 37.0	+24 39	Ari	6.5,7.1	38″.3 (1973)	(13)
θ Eri	2 58.3	–40 18	Eri	3.2,4.4	8″.3 (1975)	
ADS 2402 = α For	3 12.1	–28 59	For	3.9,7.1	5″.1 (2000)	
ADS 2582	3 31.3	+27 34	Tau	6.6,7.0	11″.3 (1973)	
Δ 16 = f Eri	3 48.6	–37 37	Eri	4.7,5.4	8″.0 (1975)	
ADS 2850 = 32 Eri	3 54.3	– 2 57	Eri	4.8,6.1	6″.8 (1966)	
θ ¹,² Tau	4 28.7	+15 52	Tau	3.4,3.8	5´.6 (2000)	(14)
θ Phe	23 39.5	–46 38	Phe	6.5,7.3	3″.9 (1975)	
ADS16979 = 107 Aqr	23 46.0	–18 41	Aqr	5.7,6.7	6″.6 (1975)	

VARIABLE STARS

Name	R.A h m	Dec. ° '	Type	Magnitude Rage	Epoch (2400000+)	Period (days)
ECLIPSING VARIABLE STARS						
β Per	3 08.2	+40 57	EA	2.12–3.40V	40953.465	2.867
λ Tau	4 00.7	+12 29	EA	3.3–3.80p	35089.204	3.952
PULSATING VARIABLE STARS						
S Scl	0 15.4	–32 03	M	5.5–13.6v	42343	365.32
T Cet	0 21.8	–20 03	SRc	5.0–6.9v	40562	158.9
R And	0 24.0	+38 35	M	5.8–14.9v	43135	409.33
TV Psc	0 28.0	+17 54	SR	4.65–5.42V		70
o Cet	2 19.3	– 2 59	M	2.0–10.1v	44839	331.96
U Cet	2 33.7	–13 09	M	6.8–13.4v	42137	234.76
R Tri	2 37.0	+34 16	M	5.4–12.6v	42014	266.48
R Hor	2 53.9	–49 53	M	4.7–14.3v	41490	403.97
ρ Per	3 05.2	+38 50	SRb	3.30–4.0v		50:
TX Psc	23 46.4	+ 3 29	Lb	6.9–7.7p		
ERUPTIVE VARIABLE STAR						
WW Cet	0 11.4	–11 29	Z Cam	9.3–16.8p		31.2:
OTHER VARIABLE STARS						
EG And	0 44.5	+40 41	Z And	7.08–7.8V		
Z And	23 33.7	+48 49	Z And	8.0–12.4p		
SX Phe	23 46.5	–41 35	δ Sct	6.78–7.51V	38636.617	0.054

BRIGHT STARS ON MAP 3 FOR DIGITAL POINTER SETUP

Name	RA (2000.0) Dec	V	Comments
alpha (α) Phe	0 26 17.1 –42 18 22	2.4	—
beta (β) Cet	0 43 35.4 –17 59 12	2.0	Deneb Kaitos
gamma (γ) And	2 03 54.0 +42 19 47	2.3	—
alpha (α) Ari	2 07 10.4 +23 27 45	2.0	Hamal
Alcyone	3 47 29.1 +24 06 18	2.9	Brightest star in Pleiades
gamma (γ) Eri	3 58 01.8 –13 30 31	3.0	—

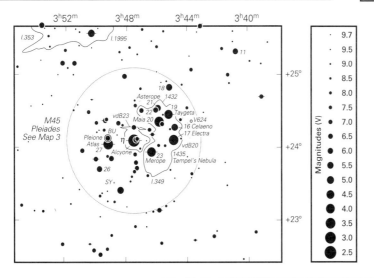

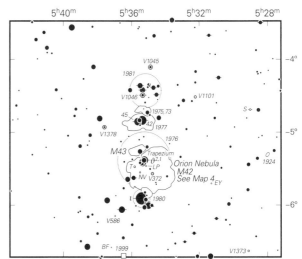

Magnitudes (V)		Double stars	Variable stars	Open clusters	Globular clusters	Diffuse neb.	Planetary neb.	Galaxies

–0.5 and brighter · 0.0 · 0.5 · 1.0 · 1.5 · 2.0 · 2.5 · 3.0 · 3.5 · 4.0 · 4.5 · 5.0 · 5.5 · 6.0 · 6.5

Constellation boundaries · · · · · Ecliptic – – – 170° – – – Galactic equator – – – 90° – – –

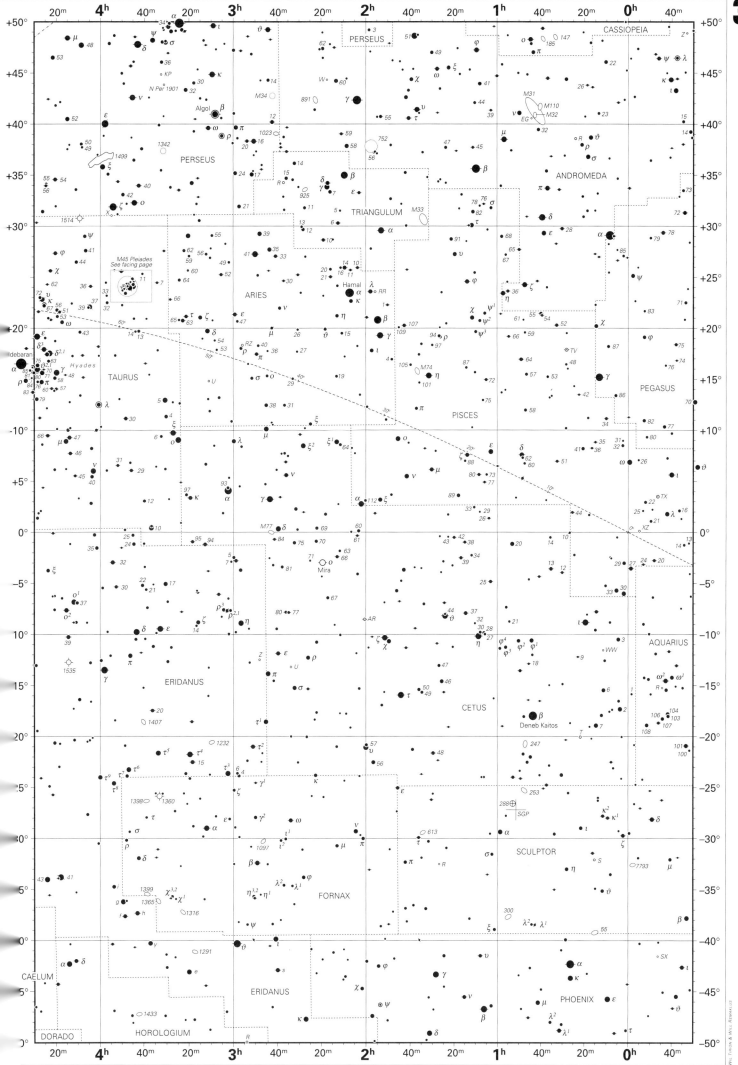

4

DEEP-SKY OBJECTS

GALAXIES

Name	R.A h m	Dec. ° '	Con	Type	V	Dimensions	Notes
NGC 1399	3 38.5	−35 27	For	E⁺1	9.6	6′.9 × 6′.5	(2)
NGC 1407	3 40.2	−18 35	Eri	E⁺0	9.7	4′.6 × 4′.3	
NGC 1433	3 42.0	−47 13	Hor	SBab	9.9	6′.5 × 5′.9	
NGC 1808	5 07.7	−37 31	Col	SABa	9.9	6′.5 × 3′.9	

OPEN CLUSTERS

Name	R.A h m	Dec. ° '	Con	Type	V	Dimensions	Notes
Pleiades	3 47.0	+24 07	Tau	oc-gn	1.2	120′	M45
Hyades	4 28.6	+15 58	Tau	oc	0.5	330′	
NGC 1647	4 46.0	+19 04	Tau	oc	6.4	40′	
NGC 1662	4 48.5	+10 56	Ori	oc	6.4	12′	
NGC 1746	5 03.6	+23 49	Tau	oc	6.1	40′	
NGC 1912	5 28.7	+35 50	Aur	oc	6.4	15′	M38
NGC 1981	5 35.2	− 4 26	Ori	oc	4.2	28′	(5)
NGC 1976	5 35.4	− 5 23	Ori	oc-gn	3.7	45′	M42, (6)
NGC 1980	5 35.4	− 5 54	Ori	oc	2.5	15′	(7)
NGC 1977	5 35.5	− 4 52	Ori	oc-gn	4.2	20′	(5)
NGC 1960	5 36.1	+34 08	Aur	oc	6.0	10′	M36
NGC 2099	5 52.4	+32 33	Aur	oc	5.6	15′	M37
NGC 2169	6 08.4	+13 57	Ori	oc	5.9	6′	
NGC 2168	6 08.9	+24 20	Gem	oc	5.1	25′	M35
NGC 2244	6 32.4	+ 4 52	Mon	oc-gn	4.8	27′	(9)
NGC 2264	6 41.1	+ 9 53	Mon	oc-gn	3.9	20′	
NGC 2281	6 49.3	+41 04	Aur	oc	5.4	25′	
NGC 2287	6 46.0	−20 44	CMa	oc	4.5	39′	M41
NGC 2301	6 51.8	+ 0 28	Mon	oc	6.0	15′	
NGC 2323	7 03.2	− 8 20	Mon	oc	5.9	15′	M50
NGC 2343	7 08.3	−10 39	Mon	oc	6.7	6′	
NGC 2354	7 14.3	−25 44	CMa	oc	6.5	18′	
NGC 2362	7 18.8	−24 57	CMa	oc	3.8	6′	(10)
NGC 2422	7 36.6	−14 30	Pup	oc	4.4	25′	M47
NGC 2423	7 37.1	−13 52	Pup	oc	6.7	12′	
NGC 2439	7 40.8	−31 39	Pup	oc	6.9	9′	(12)
NGC 2437	7 41.8	−14 49	Pup	oc	6.1	20′	M46
NGC 2447	7 44.6	−23 52	Pup	oc	6.2	10′	M93
NGC 2451	7 45.4	−37 58	Pup	oc	2.8	50′	(13)
NGC 2477	7 52.3	−38 33	Pup	oc	5.8	20′	
NGC 2467	7 52.6	−26 23	Pup	oc-gn	~7	16′	
NGC 2527	8 05.3	−28 10	Pup	oc	6.5	10′	
NGC 2546	8 12.4	−37 38	Pup	oc	6.3	70′	
NGC 2547	8 10.7	−49 16	Vel	oc	4.7	25′	

GLOBULAR CLUSTERS

Name	R.A h m	Dec. ° '	Con	Type	V	Dimensions	Notes
NGC 1851	5 14.1	−40 03	Col	gc	7.1	12′	
NGC 1904	5 24.5	−24 33	Lep	gc	7.7	9′.6	M79

PLANETARY NEBULAE

Name	R.A h m	Dec. ° '	Con	Type	V	Dimensions	Notes
NGC 1360	3 33.3	−25 51	For	pn	9.4	6′.4	(1)
NGC 1514	4 09.3	+30 47	Tau	pn	10.9	2′.2	(26)
NGC 1535	4 14.2	−12 44	Eri	pn	9.6	51″ × 44″	
IC 418	5 27.5	−12 42	Lep	pn	9.3	12″	
IC 2165	6 21.7	−12 59	CMa	pn	10.5	28″ × 23″	
NGC 2392	7 29.2	+20 55	Gem	pn	9.1	54″ × 52″	(11)
NGC 2438	7 41.8	−14 44	Pup	pn	10.8	1′.3 × 1′.1	(27)
NGC 2440	7 41.9	−18 12	Pup	pn	9.4	1′.3 × 0′.9	

DIFFUSE NEBULAE

Name	R.A h m	Dec. ° '	Con	Type	V	Dimensions	Notes
NGC 1499	4 00.7	+36 37	Per	gn	~5	160′ × 40′	(3)
NGC 1952	5 34.5	+22 01	Tau	gn	~8	6′ × 4′	M1,(4)
NGC 1982	5 35.6	− 5 16	Ori	gn	~7	20′ × 15′	M43, (8)
NGC 2068/71	5 46.7	+ 0 06	Ori	gn	~8	8′ × 6′/7′ × 5′	M78
I 434	5 40.9	− 2 38	Ori	gn	~10	6′ × 4′	(30))
N2024	5 41.9	− 1 51	Ori	gn	~8	30′ × 30′	(31)
Barnard's Loop	5 56	+ 2 30	Ori	gn	~5	Large	(28)

NOTES

1. Bright central star
2. Brightest in Fornax galaxy cluster
3. California Nebula
4. Crab Nebula, a supernova remnant
5. In Orion's Sword
6. Orion Nebula + Trapezium (θ¹ Ori).
7. Includes ι Ori (see ADS 4193) and in Orion's Sword
8. Appendage to Orion Nebula
9. Includes Rosette Nebula (90′ diam)
10. Includes τ CMa
11. Eskimo Nebula, bright central star
12. Includes R Pup
13. Includes c Pup
14. Naked-eye pair in Hyades; brighter star slightly variable
15. Naked-eye/binocular pair in Hyades
16. Same as DW Eri, fainter star slightly variable
17. Fainter star is very close pair
18. Rigel
19. Same as KW Aur, brighter star slightly variable
20. Fainter star is very close pair
21. In cluster N1980
22. Same as V1030 Ori, fainter star slightly variable, several other components
23. Third star: V=6.1; 9″.9 (1963), a remarkable triple!
24. Castor (Heintz 1988 orbit)
25. Same as PV Pup, fainter star slightly variable
26. Bright central star
27. North side of M46
28. Sh2-276
29. Strong orange/blue color
30. Horsehead Nebula
31. The Flame Nebula

DOUBLE STARS

Name	R.A h m	Dec ° '	Con	V	Sep (Date)	Notes
ADS 2582	3 31.3	+27 34	Tau	6.6,7.0	11″.3 (1973)	
Δ 16 = f Eri	3 48.6	−37 37	Eri	4.7,5.4	8″.0 (1975)	
ADS 2850 = 32 Eri	3 54.3	− 2 57	Eri	4.8,6.1	6″.8 (1966)	
θ¹,² Tau	4 28.7	+15 52	Tau	3.4,3.8	5′.6 (2000)	(14)
σ¹,² Tau	4 39.3	+15 55	Tau	4.7,5.1	7′.3 (2000)	(15)
ADS 3409 = 55 Eri	4 43.6	− 8 48	Eri	6.7,6.8	9″.3 (1975)	(16)
ADS 3597	5 00.6	+ 3 37	Ori	6.7,7.0	21″.3 (1973)	
ADS 3623	5 02.0	+ 1 37	Ori	6.5,7.7	14″.6 (1973)	(17)
ADS 3823 = β Ori	5 14.5	− 8 12	Ori	0.1,6.8	9″.5 (1974)	(18)
ADS 3824 = 14 Aur	5 15.4	+32 41	Aur	5.1,8.0	14″.6 (1973)	(19)
ADS 3954	5 21.8	−24 46	Lep	5.4,6.6	3″.5 (1983)	
ADS 3978	5 23.3	− 8 25	Ori	6.0,7.8	6″.0 (1973)	
ADS 3991	5 23.9	− 0 52	Ori	6.1,7.1	2″.7 (1975)	(20)
ADS 4002 = η Ori	5 24.5	− 2 24	Ori	3.5,4.9	1″.5 (2000)	
ADS 4068 = 118 Tau	5 29.3	+25 09	Tau	5.8,6.6	4″.8 (1981)	
ADS 4131	5 32.2	+17 03	Tau	6.1,6.5	9″.6 (1972)	
ADS 4179 = λ Ori	5 35.1	+ 9 56	Ori	3.6,5.6	4″.4 (1978)	
ADS 4193 = ι Ori	5 35.4	− 5 55	Ori	2.8,6.9	11″.4 (1973)	(21)
ADS 4241 = σ Ori	5 38.7	− 2 36	Ori	3.8,6.6	12″.9 (1973)	(22)
ADS 4263 = ζ Ori	5 40.8	− 1 57	Ori	1.9,4.0	2″.6 (1976)	
ADS 4749	6 09.0	+ 2 30	Ori	5.7,6.9	29″.5 (1973)	
ADS 4773 = 41 Aur	6 11.6	+48 43	Aur	6.3,7.0	7″.7 (1973)	
ADS 5012 = ε Mon	6 23.8	+ 4 36	Mon	4.4,6.7	12″.9 (1961)	
ADS 5107 = β Mon	6 28.8	− 7 02	Mon	4.7,5.2	7″.2 (1974)	(23)
ADS 5166 = 20 Gem	6 32.3	+17 47	Gem	6.3,7.0	20″.0 (1973)	
Δ 32	6 42.3	−38 24	Pup	6.6,7.9	8″.0 (1975)	
ADS 5559 = 38 Gem	6 54.6	+13 11	Gem	4.7,7.7	7″.1 (2000)	
ADS 5654 = ε CMa	6 58.6	−28 58	CMa	1.5,7.4	7″.5 (1951)	
Δ 38	7 04.0	−43 36	Pup	5.5,6.8	21″.1 (1977)	
h3928	7 05.5	−34 47	Pup	6.4,7.8	2″.7 (1979)	
ADS 5951 = h3945	7 16.6	−23 19	CMa	4.8,6.0	26″.8 (1974)	(29)
Δ 49	7 28.9	−31 51	Pup	6.4,7.1	8″.9 (1968)	
ADS 6126	7 29.4	−15 00	Pup	6.4,7.5	2″.0 (2000)	
ADS 6190	7 34.3	−23 28	Pup	5.8,5.9	9″.6 (1965)	
ADS 6175 = α Gem	7 34.6	+31 53	Gem	1.9,2.9	3″.9 (2000)	(24)
ADS 6255 = κ Pup	7 38.8	−26 48	Pup	4.5,4.7	9″.9 (1964)	
ADS 6381 = 5 Pup	7 47.9	−12 12	Pup	5.6,7.7	2″.0 (1975)	
ADS 6348 = 2 Pup	7 45.5	−14 41	Pup	6.1,6.9	16″.8 (1973)	(25)
Δ 59	7 59.2	−49 59	Pup	6.4,6.4	16″.4 (1957)	

VARIABLE STARS

Name	R.A. h m	Dec ° '	Type	Magnitude Range	Epoch (2400000+)	Period (days)
ECLIPSING VARIABLE STARS						
λ Tau	4 00.7	+12 29	EA	3.3–3.80p	35089.204	3.952
HU Tau	4 38.3	+20 41	EA	5.92–6.7V	42412.456	2.056
ε Aur	5 02.0	+43 49	EA	2.92–3.83V	35629	9892
AR Aur	5 18.3	+33 46	EA	6.15–6.82V	38402.183	4.134
WW Aur	6 32.5	+32 27	EA	5.79–6.54V	41399.305	2.525
R CMa	7 19.5	−16 24	EA	5.70–6.34V	44289.361	1.135
V Pup	7 58.2	−49 15	EB	4.7–5.2p	28648.304	1.454
PULSATING VARIABLE STARS						
R Lep	4 59.6	−14 48	M	5.5–11.7v	40800	432.13
RX Lep	5 11.4	−11 51	Lb	5.0–7.0v		
α Ori	5 55.2	+ 7 24	SRc	0.40–1.3v		2110
U Ori	5 55.8	+20 10	M	4.8–12.6v	42280	372.40
η Gem	6 14.9	+22 30	SRb	3.2–3.9v	37725	232.9
T Mon	6 25.2	+ 7 05	δ Cep	5.59–6.60V	36137.090	27.020
RT Aur	6 28.6	+30 30	δ Cep	5.00–5.82V	42361.155	3.728
ζ Gem	7 04.1	+20 34	δ Cep	3.66–4.16V	36791.922	10.150
L₂ Pup	7 13.5	−44 39	SRb	2.6–6.2v	40813	140.42
ERUPTIVE VARIABLE STAR						
U Gem	7 55.1	+22 00	UG	8.2–14.9v		103:
OTHER VARIABLE STARS						
U Mon	7 30.8	− 9 47	RVb	6.1–8.1p	37395	92.26
AI Vel	8 14.1	−44 34	δ Sct	6.4–7.1v		0.111

BRIGHT STARS ON MAP 4 FOR DIGITAL POINTER SETUP

Name	RA (2000.0) Dec		V	Comments
Aldebaran	4 35 55.2	+16 30 33	0.9	alpha (α) Tau
Rigel	5 14 32.3	− 8 12 06	0.1	beta (β) Ori
Capella	5 16 41.4	+45 59 53	0.1	alpha (α) Aur
Sirius	6 45 08.8	− 16 42 57	−1.5	alpha (α) CMa
Procyon	7 39 18.0	+ 5 13 30	0.4	alpha (α) CMi
gamma (γ) Vel	8 09 32.0	−47 20 12	1.8	brightest of trio

Magnitudes (V) −0.5 and brighter 0.0 0.5 1.0 1.5 2.0 2.5 3.0 3.5 4.0 4.5 5.0 5.5 6.0 6.5

Double stars Variable stars Open clusters Globular clusters Diffuse neb. Planetary neb. Galaxies

Constellation boundaries Ecliptic 170° Galactic equator 90°

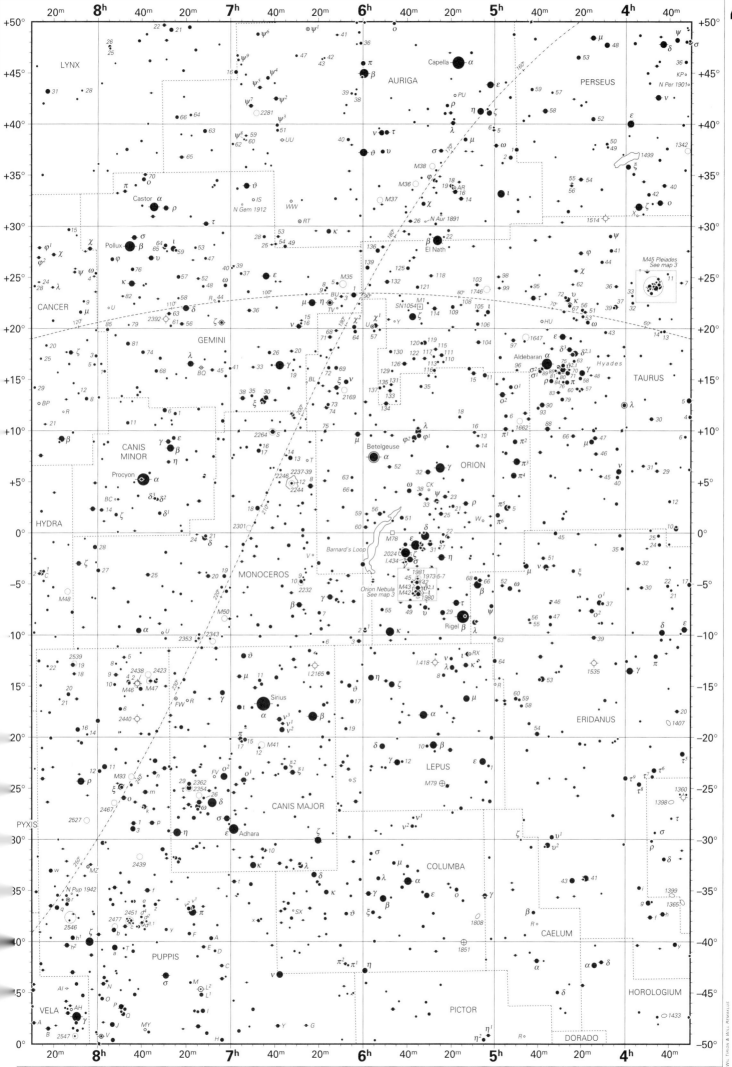

DEEP-SKY OBJECTS

GALAXIES

Name	R.A h m	Dec. ° '	Con	Type	V	Dimensions	Notes
NGC 2683	8 52.7	+33 25	Lyn	SAb	9.8	9.3 × 2.1	
NGC 2903	9 32.2	+21 30	Leo	SABbc	9.0	12.6 × 6.0	
NGC 2997	9 45.6	−31 11	Ant	SABc	9.5	8.9 × 6.8	
NGC 3115	10 05.2	− 7 43	Sex	S0-sp	8.9	7.2 × 2.4	
NGC 3184	10 18.3	+41 25	UMa	SABcd	9.8	7.4 × 6.9	
NGC 3344	10 43.5	+24 55	LMi	SABbc	9.9	7.1 × 6.5	
NGC 3351	10 44.0	+11 42	Leo	SBb	9.7	7.4 × 5.0	M95
NGC 3368	10 46.8	+11 49	Leo	SABab	9.3	7.6 × 5.2	M96
NGC 3379	10 47.8	+12 35	Leo	E1	9.3	5.4 × 4.8	M105
NGC 3384	10 48.3	+12 38	Leo	SB0-:	9.9	5.5 × 2.5	
NGC 3521	11 05.8	− 0 02	Leo	SABbc	9.0	11.0 × 5.5	
NGC 3585	11 13.3	−26 45	Hya	E6	9.9	4.6 × 2.5	
NGC 3621	11 18.3	−32 49	Hya	SAd	9.7	12.3 × 6.8	
NGC 3623	11 28.9	+13 05	Leo	SABa	9.3	9.8 × 2.9	M65
NGC 3627	11 20.2	+12 59	Leo	SABb	8.9	9.1 × 4.2	M66
NGC 3628	11 20.3	+13 36	Leo	Sbsp	9.5	14.8 × 3.0	
NGC 4192	12 13.8	+14 54	Com	SABab	10.1	9.8 × 2.8	M98
NGC 4214	12 15.6	+36 20	CVn	IABm	9.8	8.0 × 6.6	
NGC 4216	12 15.9	+13 09	Vir	SABb	10.0	8.1 × 1.8	
NGC 4254	12 18.8	+14 25	Com	SAc	9.9	5.4 × 4.7	M99
NGC 4258	12 19.0	+47 18	CVn	SABbc	8.4	18.6 × 7.2	M106
NGC 4303	12 21.9	+ 4 28	Vir	SABbc	9.7	6.5 × 5.8	M61
NGC 4321	12 22.9	+15 49	Com	SABbc	9.4	7.4 × 6.3	M100
NGC 4365	12 24.5	+ 7 19	Vir	E3	9.6	6.9 × 5.0	
NGC 4374	12 25.1	+12 53	Vir	E1	9.1	6.5 × 5.6	M84
NGC 4382	12 25.4	+18 11	Com	SA0+	9.1	7.1 × 5.5	M85
NGC 4406	12 26.2	+12 57	Vir	E3	8.9	8.9 × 5.8	M86
NGC 4435	12 27.7	+13 05	Vir	SB0°	10.8	2.8 × 2.0	
NGC 4438	12 27.8	+13 01	Vir	SA0/a	10.2	8.5 × 3.2	
NGC 4449	12 28.2	+44 06	CVn	IBm	9.6	6.2 × 4.4	
NGC 4472	12 29.8	+ 8 00	Vir	E2	8.4	10.2 × 8.3	M49, (6)

OPEN CLUSTERS

Name	R.A h m	Dec. ° '	Con	Type	V	Dimensions	Notes
NGC 2422	7 36.6	−14 30	Pup	oc	4.4	25'	M47
NGC 2423	7 37.1	−13 52	Pup	oc	6.7	12'	
NGC 2439	7 40.8	−31 39	Pup	oc	6.9	9'	(1)
NGC 2437	7 41.8	−14 49	Pup	oc	6.1	20'	M46
NGC 2447	7 44.6	−23 52	Pup	oc	6.2	10'	M93
NGC 2451	7 45.4	−37 58	Pup	oc	2.8	50'	(2)
NGC 2477	7 52.3	−38 33	Pup	oc	5.8	20'	
NGC 2467	7 52.6	−26 23	Pup	oc-gn	~7	16'	
NGC 2527	8 05.3	−28 10	Pup	oc	6.5	10'	
NGC 2539	8 10.7	−12 50	Pup	oc	6.5	15'	
NGC 2547	8 10.7	−49 16	Vel	oc	4.7	25'	
NGC 2546	8 12.4	−37 38	Pup	oc	6.3	70'	
NGC 2548	8 13.8	− 5 48	Hya	oc	5.8	30'	M48
NGC 2632	8 40.1	+19 59	Cnc	oc	3.1	70'	M44, (3)
IC 2395	8 41.1	−48 12	Vel	oc	4.6	13'	
NGC 2682	8 50.4	+11 49	Cnc	oc	6.9	25'	M67
Melotte 111	12 25	+26	Com	oc	1.8	300'	(5)

GLOBULAR CLUSTER

Name	R.A h m	Dec. ° '	Con	Type	V	Dimensions	Notes
NGC 3201	10 17.6	−46 25	Vel	gc	6.9	20'	

PLANETARY NEBULAE

Name	R.A h m	Dec. ° '	Con	Type	V	Dimensions	Notes
NGC 2438	7 41.8	−14 44	Pup	pn	10.8	1.3 × 1.1	(13)
NGC 2440	7 41.9	−18 12	Pup	pn	9.4	1.3 × 0.9	
NGC 3132	10 07.7	−40 26	Vel	pn	9.2	1.5	(4)
NGC 3242	10 24.8	−18 38	Hya	pn	7.7	64" × 50"	

DOUBLE STARS

Name	R. A. h m	Dec ° '	Con	V	Sep (Date)	Notes
ADS 6190	7 34.3	−23 28	Pup	5.8,5.9	9".6 (1965)	
ADS 6175 = α Gem	7 34.6	+31 53	Gem	1.9,2.9	3".9 (2000)	(7)
ADS 6255	7 38.8	−26 48	Pup	4.5,4.7	9".9 (1964)	
ADS 6348 = 2 Pup	7 45.5	−14 41	Pup	6.1,6.9	16".8 (1973)	(8)
ADS 6381 = 5 Pup	7 47.9	−12 12	Pup	5.6,7.7	2".0 (1975)	
Δ 59	7 59.2	−49 59	Pup	6.4,6.4	16".4 (1957)	
γ Vel	8 09.5	−47 20	Vel	1.8,4.3	41".2 (1951)	(12)
ADS 6650 = ζ^{1,2} Cnc	8 12.2	+17 39	Cnc	5.4,6.0	5".6 (1981)	(9)
h4093	8 26.3	−39 04	Pup	6.5,7.3	8".1 (1975)	(10)
ADS 6815 = φ^{1,2} Cnc	8 26.8	+26 56	Cnc	6.3,6.4	5".1 (1973)	
h4104	8 29.1	−47 56	Vel	5.5,7.3	3".6 (1979)	(11)
Δ 70	8 29.5	−44 44	Vel	5.2,7.1	4".5 (1954)	
ADS 6977	8 45.3	− 2 36	Hya	6.4,7.4	4".7 (1955)	
ADS 6988 = ι Cnc	8 46.7	+28 46	Cnc	4.0,6.6	30".4 (1973)	
ADS 7137 = 66 Cnc	9 01.4	+32 15	Cnc	5.9,8.0	4".5 (1973)	
h4188	9 12.5	−43 37	Vel	6.0,6.8	2".8 (1977)	(9)
ADS 7292 = 38 Lyn	9 18.8	+36 48	Lyn	3.9,6.6	2".7 (1968)	
ζ Ant	9 30.8	−31 53	Ant	6.2,7.0	8".0 (1977)	
ADS 7724 = γ Leo	10 20.0	+19 51	Leo	2.2,3.5	4".4 (2000)	
ADS 7902 = 35 Sex	10 43.3	+ 4 45	Sex	6.1,7.2	6".8 (1981)	
ADS 7979 = 54 Leo	10 55.6	+24 45	Leo	4.5,6.3	6".5 (1973)	
ADS 8162 = 83 Leo	11 26.8	+ 3 01	Leo	6.5,7.6	28".5 (1970)	
ADS 8202 = N Hya	11 32.3	−29 16	Hya	5.7,5.8	9".3 (1967)	
ADS 8220 = 90 Leo	11 34.7	+16 48	Leo	6.0,7.3	3".4 (1981)	
ADS 8406 = 2 Com	12 04.3	+21 28	Com	5.9,7.4	3".7 (1978)	
Rmk 14	12 14.0	−45 43	Cen	5.6,6.8	2".8 (1963)	
ADS 8505	12 18.2	− 3 57	Vir	6.5,7.0	20".1 (1973)	

VARIABLE STARS

Name	R.A h m	Dec ° '	Type	Magnitude Range	Epoch (2400000+)	Period (days)
ECLIPSING VARIABLE STARS						
TY Pyx	8 59.7	−27 49	E	6.87–7.47V	43187.230	3.198
S Ant	9 32.3	−28 38	EW	6.4–6.92V	35139.929	0.648
PULSATING VARIABLE STARS						
AK Hya	8 39.9	−17 18	SRb	6.33–6.91V		112:
R Leo	9 47.6	+11 26	M	4.4–11.3v	41688	312.43
SS Vir	12 25.3	+ 0 48	M	6.0–9.6v	40653	354.66
ERUPTIVE VARIABLE STARS						
U Gem	7 55.1	+22 00	UG	8.2–14.9v		103:
T Pyx	9 04.7	−32 23	Nr	6.3–14.0v	39501	7000:
OTHER VARIABLE STARS						
U Mon	7 30.8	− 9 47	RVb	6.1–8.1p	37395	92.26
AI Vel	8 14.1	−44 34	δ Sct	6.4–7.1v		0.111
VZ Cnc	8 40.9	+ 9 49	δ Sct	7.18–7.91V	41304.364	0.178
RU Cen	12 09.4	−45 25	RV	8.7–10.7p	28015.51	64.727

NOTES

1. Includes R Pup
2. Includes c Pup
3. Praesepe or Beehive cluster
4. Bright central star
5. Coma star cluster
6. Brightest in Virgo galaxy cluster
7. Castor (Heintz 1988 orbit)
8. Same as PV Pup, fainter star slightly variable.
9. Brighter star is very close pair.
10. Same as NO Pup, brighter star slightly variable
11. Brighter star is very close pair; third fainter star in group
12. Brighter star is brightest Wolf-Rayet star.
14. North side of M46.

BRIGHT STARS ON MAP 5 FOR DIGITAL POINTER SETUP

Name	RA (2000.0) Dec		V	Comments
Procyon	7 39 18.0	+ 5 13 30	0.4	alpha (α) CMi
Pollux	7 45 18.9	+28 01 34	1.1	beta (β) Gem
lambda (λ) Vel	9 07 59.8	−43 25 57	2.2	—
Alphard	9 27 35.2	− 8 39 31	2.0	alpha (α) Hya
Regulus	10 08 22.3	+11 58 02	1.4	—
gamma (γ) Crv	12 15 48.4	−17 32 31	—	—

Magnitudes (V): −0.5 and brighter · 0.0 · 0.5 · 1.0 · 1.5 · 2.0 · 2.5 · 3.0 · 3.5 · 4.0 · 4.5 · 5.0 · 5.5 · 6.0 · 6.5

Double stars · Variable stars · Open clusters · Globular clusters · Diffuse neb. · Planetary neb. · Galaxies

Constellation boundaries · Ecliptic 170° · Galactic equator 90°

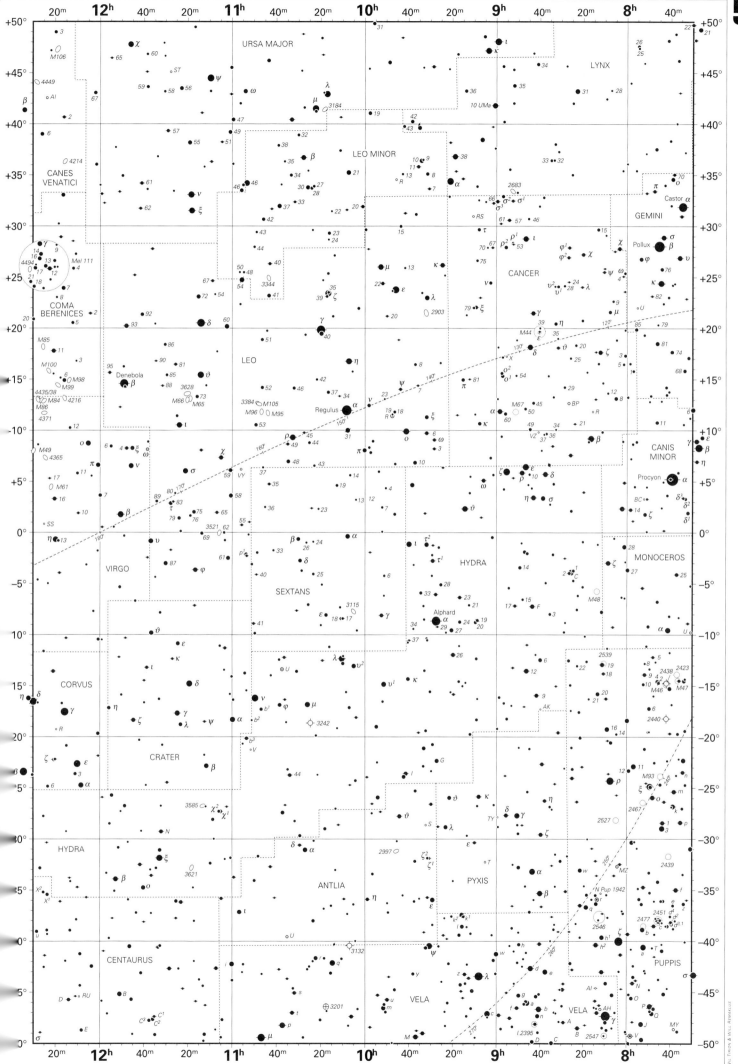

DEEP-SKY OBJECTS

Name	R.A h m	Dec. ° ,	Con	Type	V	Dimensions	Notes
GALAXIES							
NGC 4192	12 13.8	+14 54	Com	SABab	10.1	9.8 × 2.8	M98
NGC 4214	12 15.6	+36 20	CVn	IABm	9.8	8.0 × 6.6	
NGC 4216	12 15.9	+13 09	Vir	SABb	10.0	8.1 × 1.8	
NGC 4254	12 18.8	+14 25	Com	SAc	9.9	5.4 × 4.7	M99
NGC 4258	12 47 18	+47 18	CVn	SABbc	8.4	18.6 × 7.2	M106
NGC 4303	12 21.9	+ 4 28	Vir	SABbc	9.7	6.5 × 5.8	M61
NGC 4321	12 22.9	+15 49	Com	SABbc	9.4	7.4 × 6.3	M100
NGC 4365	12 24.5	+ 7 19	Vir	E3	9.6	6.9 × 5.0	
NGC 4374	12 25.1	+12 53	Vir	E1	9.1	6.5 × 5.6	M84
NGC 4382	12 25.4	+18 11	Com	SA0⁺	9.1	7.1 × 5.5	M85
NGC 4406	12 26.2	+12 57	Vir	E3	8.9	8.9 × 5.8	M86
NGC 4435	12 27.7	+13 05	Vir	SB0°	10.8	2.8 × 2.0	
NGC 4438	12 27.8	+13 01	Vir	SA0/a	10.2	8.5 × 3.2	
NGC 4472	12 29.8	+ 8 00	Vir	E2	8.4	10.2 × 8.3	M49, (2)
NGC 4486	12 30.8	+12 24	Vir	E⁺0-1	8.6	8.3 × 6.6	M87
NGC 4494	12 31.4	+25 47	Com	E1-2	9.8	4.8 × 3.5	
NGC 4501	12 32.0	+14 25	Com	SAb	9.6	6.9 × 3.7	M88
NGC 4526	12 34.0	+ 7 42	Vir	SAB0°	9.7	7.2 × 2.4	
NGC 4535	12 34.3	+ 8 12	Vir	SABc	10.0	7.1 × 5.0	
NGC 4548	12 35.4	+14 30	Com	SBb	10.2	5.4 × 4.3	M91
NGC 4552	12 35.7	+12 33	Vir	E0-3	9.8	3.5 × 3.5	M89
NGC 4559	12 36.0	+27 58	Com	SABcd	10.0	10.7 × 4.4	
NGC 4565	12 36.3	+25 59	Com	SAb?	9.6	15.8 × 2.1	
NGC 4569	12 36.8	+13 10	Vir	SABab	9.5	9.5 × 4.4	M90
NGC 4579	12 37.7	+11 49	Vir	SABb	9.7	5.9 × 4.7	M58
NGC 4594	12 40.0	−11 37	Vir	SAa sp	8.0	8.7 × 3.5	M104, (3)
NGC 4621	12 42.0	+11 39	Vir	E5	9.6	5.4 × 3.7	M59
NGC 4631	12 42.1	+32 32	CVn	SBd	9.2	12.8 × 2.4	
NGC 4636	12 42.8	+ 2 41	Vir	E0-1	9.5	6.0 × 4.7	
NGC 4649	12 43.7	+11 33	Vir	E2	8.8	7.4 × 6.0	M60
NGC 4697	12 48.6	− 5 48	Vir	E6	9.2	7.2 × 4.7	
NGC 4699	12 49.0	− 8 40	Vir	SABb	9.5	3.8 × 2.6	
NGC 4725	12 50.4	+25 30	Com	SABab	9.4	10.7 × 7.6	
NGC 4736	12 50.9	+41 07	CVn	SAab	8.2	14.4 × 12.1	M94
NGC 4753	12 52.4	− 1 12	Vir	I0	9.9	6.0 × 2.8	
NGC 4826	12 56.7	+21 41	Com	SAab	8.5	10.0 × 5.4	M64, (4)
NGC 4945	13 05.4	−49 28	Cen	SBcd:	8.4	20.0 × 3.8	
NGC 5005	13 10.9	+37 03	CVn	SABbc	9.8	5.8 × 2.8	
NGC 5068	13 18.9	−21 02	Vir	SABcd	10.0	7.2 × 6.3	
NGC 5102	13 22.0	−36 38	Cen	SA0⁻	9.6	8.7 × 2.8	
NGC 5128	13 25.5	−43 01	Cen	S0 pec	6.8	25.7 × 20.0	(5)
NGC 5236	13 37.0	−29 52	Hya	SABc	7.5	12.9 × 11.5	M83
NGC 5248	13 37.5	+ 8 53	Boo	SABbc	10.3	6.2 × 4.5	
NGC 5643	14 32.7	−44 10	Lup	SABc	10.0	4.6 × 4.0	
OPEN CLUSTERS							
Melotte 111	12 25	+26	Com	oc	1.8	300′	(1)
NGC 5460	14 07.6	−48 19	Cen	oc	5.6	35′	
NGC 6124	16 25.6	−40 40	Sco	oc	5.8:	40′	
GLOBULAR CLUSTERS							
NGC 4590	12 39.5	−26 45	Hya	gc	7.3	11′	M68
NGC 5024	13 12.9	+18 10	Com	gc	7.7	13′	M53
NGC 5139	13 26.8	−47 29	Cen	gc	3.9	55′	(6)
NGC 5272	13 42.2	+28 23	CVn	gc	6.3	18′	M3
NGC 5897	15 17.4	−21 01	Lib	gc	8.4	11′	
NGC 5904	15 18.6	+ 2 05	Ser	gc	5.7	23′	M5
NGC 5986	15 46.1	−37 47	Lup	gc	7.6	9.6	
NGC 6093	16 17.0	−22 59	Sco	gc	7.3	10′	M80
NGC 6121	16 23.6	−26 32	Sco	gc	5.4	36′	M4
PLANETARY NEBULAE							
IC 4406	12 22.5	−44 09	Lup	pn	10.2	1.8	
NGC 5882	15 16.8	−45 39	Lup	pn	9.4	20″	
IC 4593	16 11.8	+12 04	Her	pn	9.7	12″ × 10″	(18)

NOTES

1.	Coma star cluster	11.	Both stars slightly variable
2.	Brightest in Virgo galaxy cluster	12.	Brighter star slightly variable
3.	Sombrero Galaxy	13.	Third star: V=7.2; 24″0 (1963)
4.	Blackeye Galaxy	14.	Brighter star is close pair
5.	Centaurus A		ADS 9910 lies 5′ south
6.	ω Centauri	15.	Brighter star is very close pair
7.	Very close with rapid motion	16.	Each component is a close
	2000–2010.		double like ε¹,² Lyrae
8.	Brighter star slightly variable	17.	Same as TZ CrB, brighter star
9.	Fainter star is very close pair		slightly variable
10.	Naked-eye/Binocular pair	18.	Bright central star

DOUBLE STARS

Name	R. A. h m	Dec ° ,	Con	V	Sep (Date)	Notes
ADS 8202 = N Hya	11 32.3	−29 16	Hya	5.7,5.8	9″3 (1967)	
ADS 8220 = 90 Leo	11 34.7	+16 48	Leo	6.0,7.3	3″4 (1981)	
ADS 8406 = 2 Com	12 04.3	+21 28	Com	5.9,7.4	3″7 (1978)	
Rmk 14	12 14.0	−45 43	Cen	5.6,6.8	2″8 (1963)	
ADS 8505	12 18.2	− 3 57	Vir	6.5,7.0	20″1 (1973)	
ADS 8600 = 24 Com	12 35.1	+18 23	Com	5.0,6.6	20″3 (1973)	
ADS 8627	12 41.3	−13 01	Crv	6.0 6.1	5″4 (1980)	
ADS 8630 = γ Vir	12 41.7	− 1 27	Vir	3.5,3.5	1″8 (2000)	(7)
ADS 8706 = α CVn	12 56.0	+38 19	CVn	2.9,5.6	19″4 (1974)	(8)
ADS 8966	13 36.8	−26 30	Hya	5.8,6.7	10″1 (1968)	
k = 3 Cen	13 51.8	−33 00	Cen	4.6,6.1	7″9 (1975)	
ADS 9053	13 55.0	− 8 04	Vir	6.5,7.7	3″4 (1981)	
ADS 9247	14 23.4	+ 8 27	Boo	5.1,6.9	6″2 (1973)	(9)
ADS 9338 = π Boo	14 40.7	+16 25	Boo	5.0,5.9	5″6 (1977)	
ADS 9372 = ε Boo	14 45.0	+27 04	Boo	2.5,4.9	2″8 (1977)	
ADS 9375 = 54 Hya	14 46.0	−25 27	Hya	5.1,7.1	8″4 (1975)	
ADS 9406 = 39 Boo	14 49.7	+48 43	Boo	6.2,6.9	2″9 (1981)	
α¹,² Lib	14 50.9	−16 02	Lib	2.8,5.2	3′9 (1924)	(10)
ADS 9413 = ξ Boo	14 51.4	+19 06	Boo	4.7,7.0	6″6 (2000)	(11)
h4715	14 56.5	−47 53	Lup	6.1,6.9	2″3 (1959)	
Δ 178	15 11.6	−45 17	Lup	6.4,7.4	32″3 (1968)	
κ¹,² Lup	15 11.9	−48 44	Lup	3.9,5.7	26″6 (1968)	
μ Lup	15 18.5	−47 53	Lup	5.0,5.1	1″3 (1965)	(13)
ADS 9701 = δ Ser	15 34.8	+10 32	Ser	4.2,5.2	4″4 (2000)	(12)
h4788	15 35.9	−44 58	Lup	4.7,6.6	2″1 (1975)	
ADS 9728	15 38.7	− 8 47	Lib	6.5,6.5	11″9 (1965)	
ADS 9737 = ζ CrB	15 39.4	+36 38	CrB	5.1,6.0	6″3 (1973)	
ξ Lup	15 56.9	−33 58	Lup	5.1,5.6	10″4 (1968)	
η Lup	16 00.1	−38 24	Lup	3.4,7.8	15″0 (1957)	
ADS 9909 = ξ Sco	16 04.4	−11 22	Sco	4.2,7.3	7″6 (1975)	(14)
ADS 9913 = β Sco	16 05.4	−19 48	Sco	2.6,4.9	13″6 (1976)	(15)
ADS 9933 = κ Her	16 08.1	+17 03	Her	5.0,6.3	28″1 (1966)	
ADS 9951 = ν¹,² Sco	16 12.0	−19 28	Sco	4.0,6.3	41″2 (1968)	(16)
ADS 9979 = σ CrB	16 14.7	+33 52	CrB	5.6,6.6	7″1 (2000)	(17)
BrsO 12	16 19.5	−30 54	Sco	5.5,7.1	23″2 (1977)	
ADS10035	16 24.7	−29 42	Sco	5.8,6.6	5″2 (1966)	
ADS10049 = ρ Oph	16 25.6	−23 27	Oph	5.3,6.0	3″1 (1975)	
ε Nor	16 27.2	−47 33	Nor	4.5,7.2	22″8 (1957)	

VARIABLE STARS

Name	R. A. h m	Dec ° ,	Type	Magnitude Range	Epoch (2400000+)	Period (days)
ECLIPSING VARIABLE STARS						
δ Lib	15 01.0	− 8 31	EA	4.92–5.90V	42937.423	2.327
i Boo	15 03.8	+47 39	EW	6.5–7.1v	39370.422	0.267
GG Lup	15 18.9	−40 47	EB	5.4–6.0p	34532.325	2.164
PULSATING VARIABLE STARS						
SS Vir	12 25.3	+ 0 48	M	6.0–9.6v	40653	354.66
R Vir	12 38.5	+ 6 59	M	6.0–12.1v	42512	145.64
SW Vir	13 14.1	− 2 48	SRb	6.85–7.88V	40709	150:
FH Vir	13 16.4	+ 6 30	SRb	6.92–7.45V	40740	70:
V CVn	13 19.5	+45 32	SRa	6.52–8.56V	43929	191.89
R Hya	13 29.7	−23 17	M	4.5–9.5v	41676	389.61
T Cen	13 41.8	−33 36	SRa	5.5–9.0v	43242	90.44
τ⁴ Ser	15 36.5	+15 06	Lb	7.5–8.9p		
R Ser	15 50.7	+15 08	M	5.16–14.4v	42315	356.41
g Her	16 28.6	+41 53	SRb	5.7–7.2p		70:
α Sco	16 29.4	−26 26	SRc	0.88–1.80V	08600	1733
ERUPTIVE VARIABLE STARS						
T CrB	15 59.5	+25 55	Nr	2.0–10.8v	31860	9000:
U Sco	16 22.5	−17 53	Nr	8.8–19p	44048	3400:
OTHER VARIABLE STARS						
RU Cen	12 09.4	−45 25	RV	8.7–10.7p	28015.51	64.727
TX CVn	12 44.7	+36 46	Z And	9.2–11.8p		
R CrB	15 48.6	+28 09	RCB	5.71–14.8V		

BRIGHT STARS ON MAP 6 FOR DIGITAL POINTER SETUP

Name	RA (2000.0) Dec		V	Comments
Denebola	11 49 03.6	+14 34 19	2.1	beta (β) Leo
Spica	13 25 11.6	−11 09 41	1.0	alpha (α) Vir
eta (η) UMa	13 47 32.4	+49 18 48	1.9	—
theta (θ) Cen	14 06 41.0	−36 22 12	2.1	—
Arcturus	14 15 39.7	+19 10 57	−0.0	alpha (α) Boo
Antares	16 29 24.5	−26 25 55	1.1	alpha (α) Sco

Magnitudes (V)

● ● ● ● ● ● ● ● ● · · · · · ·
−0.5 and brighter 0.0 0.5 1.0 1.5 2.0 2.5 3.0 3.5 4.0 4.5 5.0 5.5 6.0 6.5

Double stars Variable stars Open clusters Globular clusters Diffuse neb. Planetary neb. Galaxies

Constellation boundaries .... Ecliptic ──170°── Galactic equator ──90°──

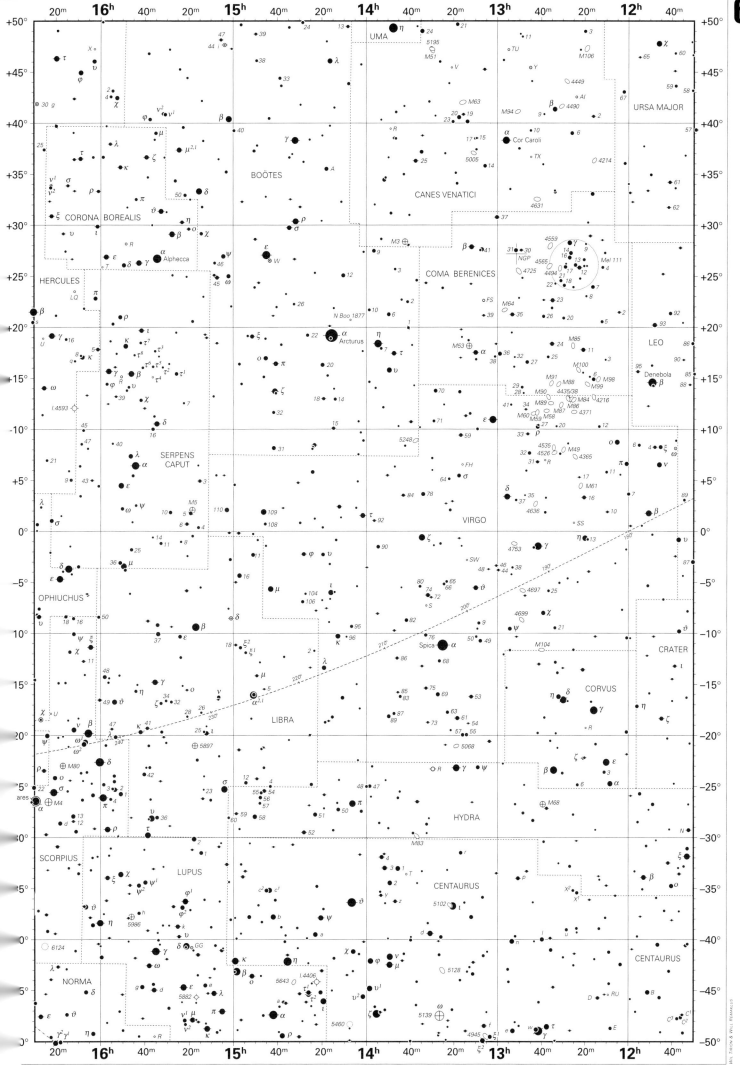

DEEP-SKY OBJECTS

Name	R.A h m	Dec. ° ′	Con	Type	V	Dimensions	Notes
GALAXY							
NGC 6822	19 44.9	−14 48	Sgr	IBm	8.7	15′.5 × 13′.5	
OPEN CLUSTERS							
NGC 6124	16 25.6	−40 40	Sco	oc	5.8:	40′	
NGC 6193	16 41.3	−48 46	Ara	oc	5.2	14′	
NGC 6231	16 54.0	−41 48	Sco	oc	2.6	14′	
NGC 6242	16 55.6	−39 30	Sco	oc	6.4	9′	
Trumpler 24	16 57.0	−40 40	Sco	oc	~5	60′	(1)
NGC 6281	17 04.8	−37 54	Sco	oc	5.4	8′	
IC 4651	17 24.7	−49 57	Ara	oc	6.9	10′	
NGC 6383	17 34.8	−32 34	Sco	oc	5.5	20′	
NGC 6405	17 40.1	−32 13	Sco	oc	4.2	33′	M6, (3)
IC 4665	17 46.3	+ 5 43	Oph	oc	4.2	70′	
NGC 6475	17 53.9	−34 49	Sco	oc	3.3	75′	M7
NGC 6494	17 56.8	−19 01	Sgr	oc	5.5	25′	M23
NGC 6514	18 02.5	−23 02	Sgr	oc-gn	6.3	13′	M20, (4)
NGC 6531	18 04.6	−22 30	Sgr	oc	5.9	16′	M21
NGC 6523/30	18 04.3	−24 20	Sgr	oc-gn	4.6	15′	M8, (5)
NGC 6611	18 18.8	−13 47	Ser	oc-gn	6.0	21′	M16, (7)
NGC 6613	18 19.9	−17 08	Sgr	oc	6.9	7′	M18
NGC 6618	18 20.8	−16 11	Sgr	oc-gn	6.0	25′	M17, (8)
NGC 6633	18 27.7	+ 6 34	Oph	oc	4.6	20′	
IC 4725	18 31.6	−19 15	Sgr	oc	4.6	26′	M25
IC 4756	18 39.0	+ 5 27	Ser	oc	4.6	40′	
NGC 6694	18 45.2	− 9 24	Sct	oc	8.0	10′	M26
NGC 6705	18 51.1	− 6 16	Sct	oc	5.8	11′	M11
NGC 6709	18 51.5	+10 21	Aql	oc	6.7	15′	
NGC 6811	19 37.0	+46 24	Cyg	oc	6.8	15′	
NGC 6871	20 05.9	+35 47	Cyg	oc	5.2	30′	(11)
NGC 6885	20 12.0	+26 29	Vul	oc	8.1	20′	(12)
NGC 6910	20 23.1	+40 47	Cyg	oc	7.4	10′	
NGC 6913	20 23.9	+38 32	Cyg	oc	6.6	10′	M29
GLOBULAR CLUSTERS							
NGC 5986	15 46.1	−37 47	Lup	gc	7.6	9′.6	
NGC 6093	16 17.0	−22 59	Sco	gc	7.3	10′	M80
NGC 6121	16 23.6	−26 32	Sco	gc	5.4	36′	M4
NGC 6171	16 32.5	−13 03	Oph	gc	7.8	13′	M107
NGC 6205	16 41.7	+36 28	Her	gc	5.8	20′	M13
NGC 6218	16 47.2	− 1 57	Oph	gc	6.1	16′	M12
NGC 6254	16 57.1	− 4 06	Oph	gc	6.6	20′	M10
NGC 6266	17 01.2	−30 07	Oph	gc	6.4	15′	M62
NGC 6273	17 02.6	−26 16	Oph	gc	6.8	17′	M19
NGC 6341	17 17.1	+43 08	Her	gc	6.5	14′	M92
NGC 6333	17 19.2	−18 31	Oph	gc	7.8	12′	M9
NGC 6388	17 36.3	−44 44	Sco	gc	6.8	10′.4	
NGC 6402	17 37.6	− 3 15	Oph	gc	7.6	11′	M14
NGC 6541	18 08.0	−43 42	CrA	gc	6.3	15′	
NGC 6626	18 24.5	−24 52	Sgr	gc	6.9	13′.8	M28
NGC 6637	18 31.4	−32 21	Sgr	gc	7.7	9′.8	M69
NGC 6656	18 36.4	−23 54	Sgr	gc	5.2	32′	M22
NGC 6681	18 43.2	−32 18	Sgr	gc	7.8	8′	M70
NGC 6715	18 55.1	−30 29	Sgr	gc	7.7	12′	M54
NGC 6723	18 59.9	−36 38	Sgr	gc	6.8	13′	
NGC 6779	19 16.6	+30 11	Lyr	gc	8.4	8′.8	M56
NGC 6809	19 40.0	−30 58	Sgr	gc	6.3	19′	M55
NGC 6838	19 53.8	+18 47	Sge	gc	8.4	7′.2	M71
NGC 6864	20 06.1	−21 55	Sgr	gc	8.6	6′.8	M75
PLANETARY NEBULAE							
IC 4593	16 11.8	+12 04	Her	pn	9.7	12″ × 10″	(18)
NGC 6210	16 44.5	+23 49	Her	pn	8.8	21″	
NGC 6302	17 13.7	−37 06	Sco	pn	9.6	1′.5 × 0′.7	(2)
NGC 6572	18 12.1	+ 6 51	Oph	pn	8.1	15″	
IC 4776	18 45.9	−33 21	Sgr	pn	10.8	18″	
NGC 6720	18 53.6	+33 02	Lyr	pn	8.8	1′.3	M57, (9)
NGC 6818	19 44.0	−14 09	Sgr	pn	9.3	46″	
NGC 6853	19 59.6	+22 43	Vul	pn	7.4	6′.7	M27, (10)
NGC 6891	20 15.1	+12 42	Del	pn	10.5	21″	
IC 4997	20 20.1	+16 44	Sge	pn	10.5	13″	
STAR CLOUD							
M24 = IC 4715	18 16.4	−18 40	Sgr	*cld	~2	2° × 0°.9	(6)

BRIGHT STARS ON MAP 7 FOR DIGITAL POINTER SETUP

Name	RA (2000.0) Dec	V	Comments
Antares	16 29 24.5 −26 25 55	1.0	alpha (α) Sco
lambda (λ) Sco	17 33 36.5 −37 06 14	1.6	Scorpius 'stinger'
Vega	18 36 56.3 +38 47 01	+0.0	alpha (α) Lyr
sigma (σ) Sgr	18 55 15.9 −26 17 48	2.0	Nunki
Altair	19 50 47.0 + 8 52 06	0.8	alpha (α) Aql
Deneb	20 41 25.9 +45 16 49	1.3	alpha (α) Cyg

DOUBLE STARS

Name	R.A h m	Dec ° ′	Con	V	Sep (Date)	Notes
η Lup	16 00.1	−38 24	Lup	3.4,7.8	15″.0 (1957)	
ADS 9909 = ξ Sco	16 04.4	−11 22	Sco	4.2,7.3	7″.6 (1975)	(14)
ADS 9913 = β Sco	16 05.4	−19 48	Sco	2.6,4.9	13″.6 (1976)	(15)
ADS 9933 = κ Her	16 08.1	+17 03	Her	5.0,6.3	28″.1 (1966)	
ADS 9951 = ν¹,² Sco	16 12.0	−19 28	Sco	4.0,6.3	41″.2 (1968)	(17)
ADS 9979 = σ CrB	16 14.7	+33 52	CrB	5.6,6.6	7″.1 (2000)	(16)
BrsO 12	16 19.5	−30 54	Sco	5.5,7.1	23″.2 (1977)	
ADS10035	16 24.7	−29 42	Sco	5.8,6.6	5″.2 (1966)	
ADS10049 = ρ Oph	16 25.6	−23 27	Oph	5.3,6.0	3″.1 (1975)	
ξ Nor	16 27.2	−47 33	Nor	4.5,7.2	22″.8 (1957)	
MlbO 8	17 14.6	−48 46	Ara	5.6,6.8	9″.6 (1956)	
ADS10418 = α Her	17 14.6	+14 23	Her	3.5,5.4	4″.6 (2000)	(13)
ADS10417 = 36 Oph	17 15.3	−26 36	Oph	5.1,5.1	4″.9 (2000)	
ADS10442 = ο Oph	17 18.0	−24 17	Oph	5.2,6.8	10″.2 (1962)	
ADS10526 = ρ Her	17 23.7	+37 09	Her	4.6,5.6	4″.1 (1979)	
h4949	17 26.9	−45 51	Ara	5.7,6.5	2″.1 (1975)	
ADS10750 = 61 Oph	17 44.6	+ 2 35	Oph	6.2,6.6	20″.6 (1968)	
h5003	17 59.1	−30 15	Sgr	5.2,7.0	5″.5 (1973)	

VARIABLE STARS

Name	R. A. h m	Dec ° ′	Type	Magnitude Range	Epoch (2400000+)	Period (days)
ECLIPSING VARIABLE STARS						
V1010 Oph	16 49.5	−15 40	EB	6.1–7.0v	38937.771	0.661
V861 Sco	16 56.6	−40 49	EB	6.07–6.69V		7.848
U Oph	17 16.5	+ 1 13	EA	5.88–6.58V	36727.424	1.677
u Her	17 17.3	+33 06	EB	4.6–5.3p	44069.386	2.051
RS Sgr	18 17.6	−34 06	EA	6.0–6.9p	20586.387	2.415
β Lyr	18 50.1	+33 22	EB	3.34–4.34V	45342.39	12.935
RS Vul	19 17.7	+22 26	EA	6.9–7.6p	32808.257	4.477
U Sge	19 18.8	+19 37	EA	6.58–9.18V	40774.463	3.380
PULSATING VARIABLE STARS						
BM Sco	17 41.0	−32 13	SRd	6.8–8.7p		850:
X Sgr	17 47.6	−27 50	δ Cep	4.24–4.84V	36968.852	7.012
OP Her	17 56.8	+45 21	Lb	7.7–8.3p		
W Sgr	18 05.0	−29 35	δ Cep	4.30–5.08V	37678.578	7.594
VX Sgr	18 08.1	−22 13	SRc	6.5–12.5v	36493	732
Y Sgr	18 21.4	−18 52	δ Cep	5.40–6.10V	36230.180	5.773
T Lyr	18 32.3	+37 00	Lb	7.8–9.6v		
X Oph	18 38.3	+ 8 50	M	5.9–9.2v	41478	334.39
XY Lyr	18 38.1	+39 40	Lc	7.3–7.8p		
R Lyr	18 55.3	+43 57	SRb	3.88–5.0V	35920	46.0
FF Aql	18 58.2	+17 22	δ Cep	5.18–5.68V	41576.428	4.470
R Aql	19 06.4	+ 8 14	M	5.5–12.0v	43458	284.2
RR Lyr	19 25.5	+42 47	RRab	7.06–8.12V	42995.405	0.566
ERUPTIVE VARIABLE STAR						
RS Oph	17 50.2	− 6 43	Nr	5.3–12.3p	39791	
OTHER VARIABLE STARS						
RS Tel	18 18.9	−46 33	RCB	9.3–13.0p		
AC Her	18 30.3	+21 52	RVa	7.43–9.74B	35052	75.461
R Sct	18 47.5	− 5 42	RVa	4.45–8.20V	32078.3	140.05
RY Sgr	19 16.5	−33 31	RCB	6.0–15.0v		

NOTES

1. Includes gn I 4628
2. Bug Nebula
3. Includes BM Sco
4. Trifid Nebula (30′ diam)
5. Lagoon Nebula (90′ diam)
6. A Milky Way starcloud
7. Includes gn I 4703 (35′ diam)
8. Swan Nebula (40′ diam)
9. Ring Nebula
10. Dumbbell Nebula
11. Includes 27 Cyg
12. Includes 20 Vul
13. Brighter star is a variable
14. Brighter star is close pair ADS 9910 lies 5′ south
15. Brighter star is very close pair
16. Same as TZ CrB, brighter star slightly variable
17. Each component is a close double like ε¹,² Lyrae
18. Bright central star

REMARKS

Due to space limitations the double stars for this chart completed in list for Chart 8.

Magnitudes (V)

● ● ● ● ● ● ● ● ● • • • · ·
−0.5 and brighter 0.0 0.5 1.0 1.5 2.0 2.5 3.0 3.5 4.0 4.5 5.0 5.5 6.0 6.5

Double stars   Variable stars   Open clusters   Globular clusters   Diffuse neb.   Planetary neb.   Galaxies

Constellation boundaries   Ecliptic ——170°——   Galactic equator ——90°——

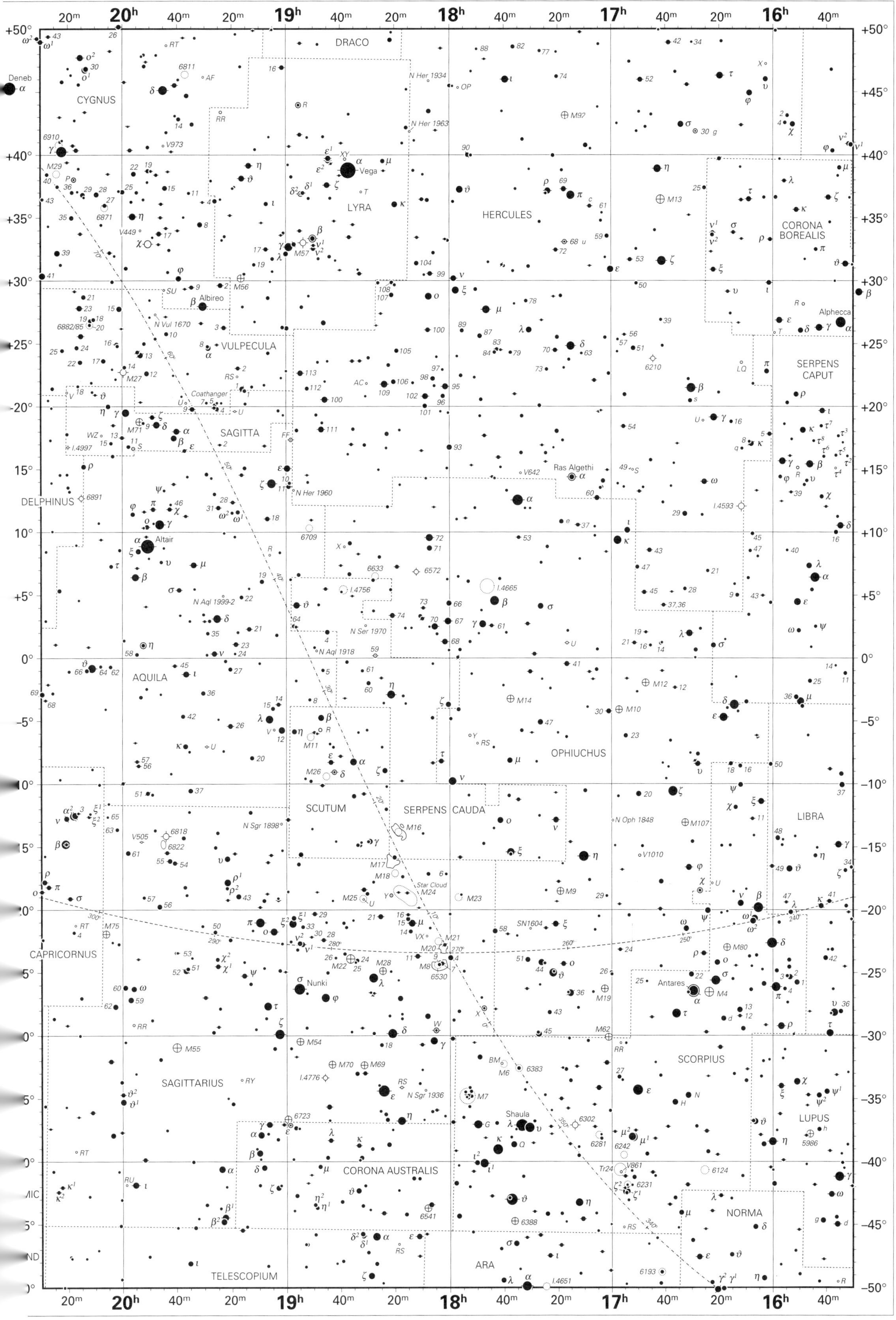

20ʰ 20ᵐ 40ᵐ **19ʰ** 40ᵐ 20ᵐ **18ʰ** 40ᵐ 20ᵐ **17ʰ** 40ᵐ 20ᵐ **16ʰ** 40ᵐ

+50° +45° +40° +35° +30° +25° +20° 15° +10° +5° 0° -5° -10° -15° -20° -25° -30° -35° -40°

DRACO

CYGNUS

Deneb α

LYRA
Vega

HERCULES

M92

M13

CORONA BOREALIS

Alphecca

VULPECULA

SAGITTA

SERPENS CAPUT

Ras Algethi

DELPHINUS

Altair

AQUILA

OPHIUCHUS

M12
M10
M14

LIBRA

SCUTUM

SERPENS CAUDA

M16
M17
M18
M11
M26

M107

Star Cloud
M24
M25
M23
M9

M80
Antares
M4
M19
M62

SCORPIUS

CAPRICORNUS

M75

M55

SAGITTARIUS

Nunki

M54
M70 M69

M7
M6
Shaula

LUPUS

NORMA

CORONA AUSTRALIS

TELESCOPIUM

ARA

MIC

IND

20ʰ 20ᵐ 40ᵐ **19ʰ** 40ᵐ 20ᵐ **18ʰ** 40ᵐ 20ᵐ **17ʰ** 40ᵐ 20ᵐ **16ʰ** 40ᵐ

WIL TIRION & WILL REMAKLUS

DEEP-SKY OBJECTS

GALAXIES

Name	R.A h m	Dec. ° ′	Con	Type	V	Dimensions	Notes
NGC 55	0 14.9	−39 11	Scl	SBm	7.9	32′.4 × 5′.6	
NGC 6822	19 44.9	−14 48	Sgr	IBm	8.7	15′.5 × 13′.5	
NGC 7331	22 37.1	+34 25	Peg	SAb	9.5	10′.5 × 3′.5	
IC 1459	22 57.2	−36 28	Gru	E3-4	10.0	5′.2 × 3′.8	
NGC 7793	23 57.8	−32 35	Scl	SAd	9.1	9′.3 × 6′.3	

OPEN CLUSTERS

Name	R.A h m	Dec. ° ′	Con	Type	V	Dimensions	Notes
NGC 6811	19 38.2	+46 34	Cyg	oc	6.8	15′	
NGC 6871	20 05.9	+35 47	Cyg	oc	5.2	30′	(2)
NGC 6885	20 12.0	+26 29	Vul	oc	8.1	20′	(3)
NGC 6910	20 23.1	+40 47	Cyg	oc	7.4	10′	
NGC 6913	20 23.9	+38 32	Cyg	oc	6.6	10′	M29
NGC 6940	20 34.6	+28 18	Vul	oc	6.3	25′	
NGC 6994	20 59.0	−12 38	Aqr	oc	8.9	1′.4	M73, (5)
NGC 7092	21 32.2	+48 26	Cyg	oc	4.6	31′	M39
NGC 7243	22 15.3	+49 53	Lac	oc	6.4	30′	

GLOBULAR CLUSTERS

Name	R.A h m	Dec. ° ′	Con	Type	V	Dimensions	Notes
NGC 6809	19 40.0	−30 58	Sgr	gc	6.3	19′	M55
NGC 6838	19 53.8	+18 47	Sge	gc	8.4	7′.2	M71
NGC 6864	20 06.1	−21 55	Sgr	gc	8.6	6′.8	M75
NGC 6981	20 53.5	−12 32	Aqr	gc	9.2	6′.6	M72
NGC 7078	21 30.0	+12 10	Peg	gc	6.3	18′	M15
NGC 7089	21 33.5	− 0 49	Aqr	gc	6.6	16′	M2
NGC 7099	21 40.4	−23 11	Cap	gc	6.9	12′	M30

PLANETARY NEBULAE

Name	R.A h m	Dec. ° ′	Con	Type	V	Dimensions	Notes
NGC 6818	19 44.0	−14 09	Sgr	pn	9.3	46″	
NGC 6853	19 59.6	+22 43	Vul	pn	7.4	6′.7	M27, (1)
NGC 6891	20 15.1	+12 42	Del	pn	10.5	21″	
IC 4997	20 20.2	+16 44	Sge	pn	10.5	13″	
NGC 7009	21 04.2	−11 22	Aqr	pn	8.0	35″	(7)
NGC 7027	21 07.1	+42 14	Cyg	pn	8.5	55″	
NGC 7293	22 29.6	−20 48	Aqr	pn	7.3	17′.5 × 12′.0	(8)
NGC 7662	23 25.9	+42 33	And	pn	8.3	37″ × 34″	

DIFFUSE NEBULAE

Name	R.A h m	Dec. ° ′	Con	Type	V	Dimensions	Notes
NGC 6960	20 50	+31	Cyg	gn	~7	3°.5 × 2°.7	(4)
NGC 7000	20 58.8	+44 20	Cyg	gn	~4	120′ × 100′	(6)

DOUBLE STARS

Name	R.A h m	Dec ° ′	Con	V	Sep (Date)	Notes
ADS 191 = 35 Psc	0 15.0	+ 8 49	Psc	6.0,7.8	11″.5 (1972)	(15)
ADS10993 = 95 Her	18 01.5	+21 36	Her	5.0,5.2	6″.3 (1974)	
ADS11046 = 70 Oph	18 05.5	+ 2 30	Oph	4.0,6.0	3″.8 (2000)	
ADS11089 = 100 Her	18 07.8	+26 06	Her	5.9,5.9	14″.2 (1970)	
κ¹,² CrA	18 33.4	−38 44	CrA	5.6,6.3	21″.4 (1936)	
ADS11635 = ε¹ Lyr	18 44.3	+39 40	Lyr	5.0,6.1	2″.6 (2000)	(9)
ADS11635 = ε² Lyr	18 44.3	+39 37	Lyr	5.2,5.5	2″.3 (2000)	
ADS11639 = ζ¹,² Lyr	18 44.8	+37 36	Lyr	4.3,5.7	43″.7 (1982)	(10)
ADS11640	18 45.5	+ 5 30	Ser	6.2,7.2	2″.5 (1979)	(11)
ADS11667 = 5 Aql	18 46.5	− 0 58	Aql	5.9,7.5	12″.8 (1965)	
ADS11853 = θ Ser	18 56.2	+ 4 12	Ser	4.6,5.0	22″.3 (1973)	
BrsO 14	19 01.1	−37 04	CrA	6.4,6.7	12″.8 (1967)	
ADS12169	19 12.1	+49 51	Cyg	6.6,6.8	7″.9 (1976)	
ADS12540 = β Cyg	19 30.7	+27 58	Cyg	3.1,5.1	34″.4 (1982)	(12)
ADS12880 = δ Cyg	19 45.0	+45 08	Cyg	2.9,6.3	2″.5 (2000)	
ADS12893	19 45.7	+36 05	Cyg	6.4,7.2	14″.9 (1967)	
ADS13554 = o¹ 31 Cyg	20 13.6	+46 44	Cyg	3.8,6.7	1″.8 (1926)	(16)
ADS13087 = 57 Aql	19 54.6	− 8 14	Aql	5.7,6.5	36″.0 (1968)	
ADS13645 = α¹,² Cap	20 18.1	−12 33	Cap	3.6,4.2	6″.3 (1924)	
β¹,² Cap	20 21.0	−14 47	Cap	3.1,6.1	3′.4 (1922)	(10)
ADS13902 = o Cap	20 29.9	−18 35	Cap	5.9,6.7	18″.9 (1968)	
ADS14158 = 49 Cyg	20 41.0	+32 18	Cyg	5.7,7.8	2″.5 (1973)	
ADS14279 = γ Del	20 46.7	+16 07	Del	4.3,5.1	9″.6 (1976)	
ADS14592 = 12 Aqr	21 04.1	− 5 49	Aqr	5.9,7.3	2″.5 (1973)	
ADS14636 = 61 Cyg	21 06.9	+38 45	Cyg	5.2,6.0	30″.3 (2000)	
ADS14682	21 08.6	+30 12	Cyg	5.8,7.8	3″.4 (1980)	(13)
ADS15753 = 41 Aqr	22 14.3	−21 04	Aqr	5.6,7.1	5″.1 (1975)	
ADS15934 = 53 Aqr	22 26.6	−16 45	Aqr	6.4,6.6	2″.9 (1982)	(14)
ADS15971 = ζ Aqr	22 28.8	− 0 01	Aqr	4.3,4.5	2″.0 (2000)	
ADS16095 = 8 Lac	22 35.9	+39 38	Lac	5.7,6.4	22″.4 (1969)	
ADS16519	23 07.5	+32 50	Peg	6.3,7.5	8″.4 (1969)	
ADS16672 = 94 Aqr	23 19.1	−13 28	Aqr	5.2,7.6	12″.6 (1981)	
θ Phe	23 39.5	−46 38	Phe	6.5,7.3	3″.9 (1975)	
ADS16979 = 107 Aqr	23 46.0	−18 41	Aqr	5.7,6.7	6″.6 (1975)	

NOTES

1. Dumbbell Nebula
2. Includes 27 Cyg
3. Includes 20 Vul
4. Veil Nebula, supernova remnant
5. Only four stars
6. North America Nebula
7. Saturn Nebula
8. Helix Nebula
9. "Double-Double"
10. Binocular pair
11. Each component an extremely close pair
12. Albireo, binocular pair
13. Same as V389 Cyg, brighter star slightly variable
14. Optical, closing at ~0″.45 per decade
15. Same as UU Psc, brighter star slightly variable
16. Same as V695 Cyg, brighter star slightly variable
    fourth star: V=4.8; 5′.6 (1926)
    third star : V=7.0; 1′.8 (1926);

BRIGHT STARS ON MAP 8
FOR DIGITAL POINTER SETUP

Name	RA (2000.0) Dec	V	Comments
Altair	19 50 47.0 + 8 52 06	0.8	alpha (α) Aql
beta (β) Cap	20 21 00.7 −14 46 53	3.1	—
Deneb	20 41 25.9 +45 16 49	1.3	alpha (α) Cyg
epsilon (ε) Peg	21 44 11.2 + 9 52 30	2.4	Enif
alpha (α) Gru	22 08 14.0 −46 57 40	1.7	—
Fomalhaut	22 57 39.1 −29 37 20	1.2	alpha (α) PsA

VARIABLE STARS

Name	R. A. h m	Dec ° ′	Type	Magnitude Range	Epoch (2400000+)	Period (days)
ECLIPSING VARIABLE STARS						
V505 Sgr	19 53.1	−14 36	EA	6.48−7.51V	40087.336	1.182
EE Peg	21 40.0	+ 9 11	EA	6.9−7.6v	40286.432	2.628
AR Lac	22 08.7	+45 45	E	6.11−6.77V	39376.495	1.983
PULSATING VARIABLE STARS						
χ Cyg	19 50.6	+32 55	M	3.3−14.2v	42143	406.93
η Aql	19 52.5	+ 1 00	δ Cep	3.48−4.39V	36084.656	7.176
V449 Cyg	19 53.3	+33 57	Lb	7.4−9.0p		
RR Sgr	19 55.9	−29 11	M	5.6−14.0v	41133	334.58
S Sge	19 56.0	+16 38	δ Cep	5.28−6.04V	36082.168	8.382
EU Del	20 37.9	+18 16	SRb	5.8−6.9v	35794	59.5
X Cyg	20 43.4	+35 35	δ Cep	5.87−6.86V	35915.918	16.386
T Vul	20 51.5	+28 15	δ Cep	5.44−6.06V	35934.758	4.435
W Cyg	21 36.0	+45 22	SRb	6.8−8.9p	38659.73	126.26
V460 Cyg	21 42.0	+35 31	Lb	5.6−7.0v		
R Aqr	23 43.8	−15 17	M	5.8−12.4v	42398	386.96
TX Psc	23 46.4	+ 3 29	Lb	6.9−7.7p		
ERUPTIVE VARIABLE STARS						
WW Cet	0 11.4	−11 29	Z Cam	9.3−16.8p		31.2:
WZ Sge	20 07.6	+17 42	Nr(E)	7.0−15.5p	32001	900:
P Cyg	20 17.8	+38 02	S Dor	3.0−6.0v		
V Sge	20 20.3	+21 06	NL	9.5−13.9v		
VY Aqr	21 12.2	− 8 50	UG	8.0−16.6p	45667	
SS Cyg	21 42.7	+43 35	UG	8.2−12.4v		50.1:
RU Peg	22 14.0	+12 42	UG	9.0−13.1v		67.8
OTHER VARIABLE STARS						
AG Peg	21 51.0	+12 38	Z And	6.0−9.4v		830.14
Z And	23 33.7	+48 49	Z And	8.0−12.4p		
SX Phe	23 46.5	−41 35	δ Sct	6.78−7.51V	38636.617	0.054

Magnitudes (V)

−0.5 and brighter · 0.0 · 0.5 · 1.0 · 1.5 · 2.0 · 2.5 · 3.0 · 3.5 · 4.0 · 4.5 · 5.0 · 5.5 · 6.0 · 6.5

Double stars · Variable stars · Open clusters · Globular clusters · Diffuse neb. · Planetary neb. · Galaxies

Constellation boundaries · Ecliptic · Galactic equator

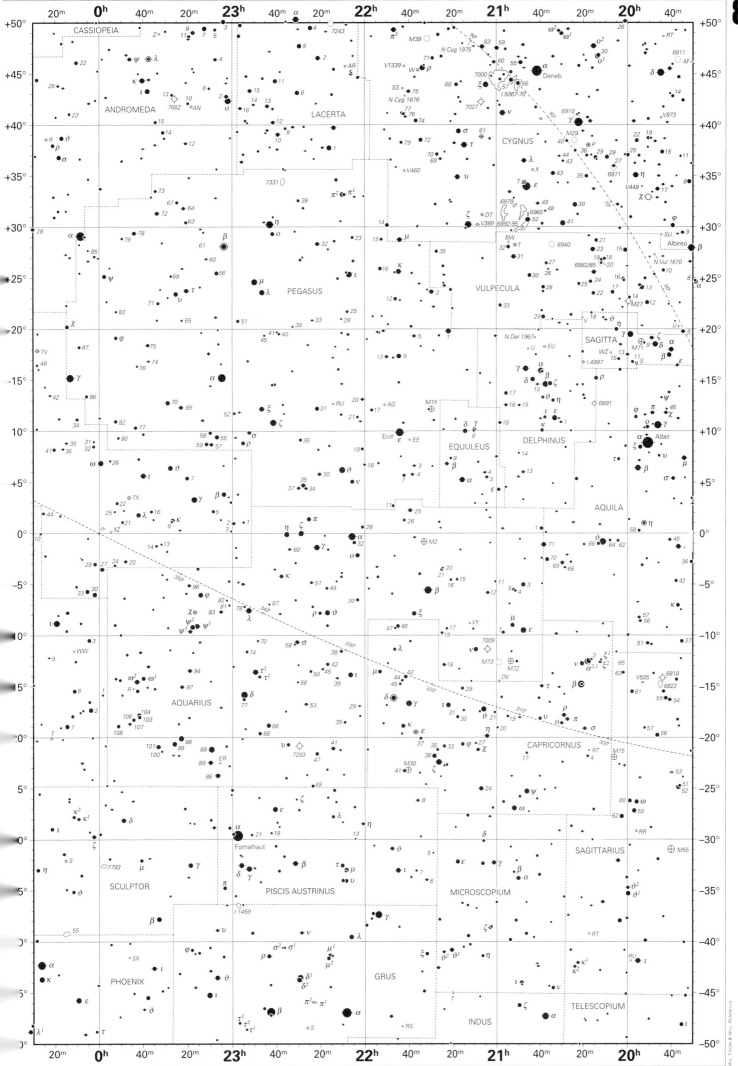

DEEP-SKY OBJECTS

GALAXIES

Name	R.A h m	Dec. ° ′	Con	Type	V	Dimensions	Notes
SMC	0 52.7	–72 30	Tuc	SBm	2.3	320′ × 205′	(2)
NGC 1097	2 46.3	–30 17	For	SBb	9.5	9.′3 × 6.′3	
NGC 1291	3 17.3	–41 08	Eri	SB0/a	8.5	11′ × 9.′5	
NGC 1313	3 18.3	–66 30	Ret	SBd	8.7	9.′2 × 6.′9	
NGC 1316	3 22.7	–37 12	For	SAB0°	8.9	11.′0 × 7.′2	
NGC 1365	3 33.6	–36 08	For	SBb	9.6	11.′0 × 6.′2	
NGC 1399	3 38.5	–35 27	For	E⁺1	9.6	6.′9 × 6.′5	(3)
NGC 1433	3 42.0	–47 13	Hor	SBab	9.9	6.′5 × 5.′9	
NGC 1566	4 20.0	–54 56	Dor	SABbc	9.7	8.′3 × 6.′6	
NGC 1672	4 45.7	–59 15	Dor	SBb	9.7	6.′6 × 5.′5	
LMC	5 23.6	–69 45	Dor	SBm	0.4	650′ × 550′	(4)
NGC 2997	9 45.6	–31 11	Ant	SABc	9.3	8.′9 × 6.′8	
NGC 4945	13 05.4	–49 28	Cen	SBcd:	8.4	20.′0 × 3.′8	
NGC 5128	13 25.5	–43 01	Cen	S0 pec	6.8	25.′7 × 20.′0	(14)

OPEN CLUSTERS

Name	R.A h m	Dec. ° ′	Con	Type	V	Dimensions	Notes
NGC 346	0 59.0	–72 11	Tuc	oc-gn	10.3	3′	
NGC 2070	5 38.7	–69 06	Dor	oc-gn	~3	40′ × 25′	(5)
NGC 2451	7 45.4	–37 58	Pup	oc	2.8	50′	(6)
NGC 2477	7 52.3	–38 33	Pup	oc	5.8	20′	
NGC 2516	7 58.3	–60 52	Car	oc	3.8	22′	
NGC 2547	8 10.7	–49 16	Vel	oc	4.7	25′	
NGC 2546	8 12.4	–37 38	Pup	oc	6.3	70′	
IC 2391	8 40.2	–53 04	Vel	oc	2.6	60′	(7)
IC 2395	8 41.1	–48 12	Vel	oc	4.6	13′	
NGC 3114	10 02.7	–60 07	Car	oc	4.2	35′	
IC 2581	10 27.4	–57 38	Car	oc	4.3	5′	
NGC 3293	10 35.8	–58 14	Car	oc	4.7	5′	
IC 2602	10 43.2	–64 24	Car	oc	1.6	100′	(9)
NGC 3372	10 43.8	–59 52	Car	oc-gn	~3	~2°	(10)
NGC 3532	11 06.4	–58 40	Car	oc	3.0	50′	
NGC 3766	11 36.3	–61 37	Cen	oc	5.3	15′	
NGC 4609	12 42.3	–62 58	Cru	oc	6.9	6′	(12)
NGC 4755	12 53.6	–60 20	Cru	oc	4.2	10′	(13)
NGC 5281	13 46.6	–62 54	Cen	oc	5.9	8′	
NGC 5316	13 53.9	–61 52	Cen	oc	6.0	15′	
NGC 5617	14 29.8	–60 43	Cen	oc	6.3	10′	

GLOBULAR CLUSTERS

Name	R.A h m	Dec. ° ′	Con	Type	V	Dimensions	Notes
NGC 104	0 24.1	–72 05	Tuc	gc	4.0	50′	(1)
NGC 362	1 03.2	–70 51	Tuc	gc	6.8	14′	
NGC 1851	5 14.1	–40 03	Col	gc	7.1	12′	
NGC 2808	9 12.0	–64 52	Car	gc	6.2	14′	
NGC 3201	10 17.6	–46 25	Vel	gc	6.9	20′	
NGC 4372	12 25.9	–72 40	Mus	gc	7.2	5′	
NGC 4833	12 59.5	–79 53	Mus	gc	8.4	14′	
NGC 5139	13 26.8	–47 29	Cen	gc	3.9	55′	(20)

PLANETARY NEBULAE

Name	R.A h m	Dec. ° ′	Con	Type	V	Dimensions	Notes
IC 2448	9 07.1	–69 57	Car	pn	10.5	27″ × 28″	
NGC 2867	9 21.4	–58 19	Car	pn	9.7	24″	
IC 2501	9 38.8	–60 06	Car	pn	10.4	2″	
NGC 3132	10 07.7	–40 26	Vel	pn	9.2	1.′5	(8)
NGC 3195	10 09.4	–80 52	Cha	pn	11.6	42″	
NGC 3211	10 17.9	–62 40	Car	pn	10.7	19″	
IC 2553	10 09.4	–62 37	Car	pn	10.3	9″	
NGC 3699	11 28.0	–59 58	Cen	pn	11.3	45″	
NGC 3918	11 50.3	–57 11	Cen	pn	8.1	23′	
NGC 5189	13 33.5	–65 59	Mus	pn	9.9	2.′3	
NGC 5315	13 53.9	–66 31	Cir	pn	9.8	14″	

DIFFUSE NEBULA

Name	R.A h m	Dec. ° ′	Con	Type	V	Dimensions	Notes
IC 2948	11 38.3	–63 22	Cen	gn	~7	75′ × 50′	(11)

DOUBLE STARS

Name	RA h m	Dec ° ′	Con	V	Sep (Date)	Notes
β¹·² Tuc	0 31.5	–62 58	Tuc	4.4,4.5	27.″0 (1975)	
κ Tuc	1 15.8	–68 53	Tuc	5.0,7.6	5.″2 (1982)	
p Eri	1 39.8	–56 12	Eri	5.8,5.9	11.″5 (2000)	
θ Eri	2 58.3	–40 18	Eri	3.2,4.4	8.″3 (1975)	
ADS 2402 = α For	3 12.1	–28 59	For	3.9,7.1	5.″1 (2000)	
ι Pic	4 50.9	–53 28	Pic	5.6,6.4	12.″5 (1975)	
θ Pic	5 24.8	–52 19	Pic	6.3,6.8	38.″2 (1938)	(16)
Δ 38	7 04.0	–43 36	Pup	5.5,6.8	21.″1 (1977)	
γ Vol	7 08.8	–70 30	Vol	3.8,5.7	13.″6 (1977)	
Δ 59	7 59.2	–49 59	Pup	6.4,6.4	16.″4 (1957)	
ε Vol	8 07.9	–68 37	Vol	4.4,7.4	6.″1 (1968)	
γ Vel	8 09.5	–47 20	Vel	1.8,4.3	41.″2 (1951)	(17)
Rmk 8	8 15.3	–62 55	Car	5.3,7.8	3.″9 (1960)	
κ Vol	8 19.8	–71 31	Vol	5.4,5.7	65.″0 (1917)	(16)
h4093	8 26.3	–39 04	Pup	6.5,7.3	8.″1 (1975)	(21)
h4104	8 29.1	–47 56	Vel	5.5,7.3	3.″6 (1979)	(22)
Δ 70	8 29.5	–44 44	Vel	5.2,7.1	4.″5 (1954)	
δ Vel	8 44.7	–54 43	Vel	2.1,5.1	2.″2 (1953)	
h⁴188	9 12.5	–43 37	Vel	6.0,6.8	2.″8 (1977)	(18)
ζ¹ Ant	9 30.8	–31 53	Ant	6.2,7.0	8.″0 (1977)	
υ Car	9 47.1	–65 04	Car	3.0,6.3	5.″0 (1975)	
h4432	11 23.4	–64 57	Mus	5.4,6.6	2.″4 (1976)	
Rmk 14	12 14.0	–45 43	Cen	5.6,6.8	2.″8 (1963)	
α Cru	12 26.6	–63 06	Cru	1.3,1.7	4.″2 (1979)	(19)
μ Cru	12 54.6	–57 11	Cru	4.0,5.2	34.″9 (1967)	
θ Mus	13 08.1	–65 18	Mus	5.7,7.7	5.″3 (1958)	
Δ 141	13 41.7	–54 34	Cen	5.3,6.6	5.″4 (1963)	
Rmk 18	13 52.0	–52 49	Cen	5.3,7.5	18.″1 (1959)	
α¹·² Cen	14 39.6	–60 50	Cen	0.0,1.2	14.″1 (2000)	
Δ 249	23 23.9	–53 49	Gru	6.2,7.1	26.″5 (l951)	
θ Phe	23 39.5	–46 38	Phe	6.5,7.3	3.″9 (1975)	

VARIABLE STARS

Name	RA h m	Dec ° ′	Type	Magnitude Range	Epoch (2400000+)	Period (days)
ECLIPSING VARIABLE STARS						
ζ Phe	1 08.4	–55 15	EA	3.92–4.42V	41643.689	1.669
V Pup	7 58.2	–49 15	EB	4.7–5.2p	28648.304	1.454
TY Pyx	8 59.7	–27 49	E	6.87–7.47V	43187.230	3.198
CV Vel	9 00.6	–51 33	EA	6.5–7.3p	42048.668	6.889
S Ant	9 32.3	–28 38	EW	6.4–6.92V	35139.929	0.648
PULSATING VARIABLE STARS						
R Hor	2 53.9	–49 53	M	4.7–14.3v	41490	403.97
R Dor	4 36.8	–62 05	SRb	4.8–6.6v		338:
R Cae	4 40.5	–38 14	M	6.7–13.7v	40645	390.95
R Pic	4 46.2	–49 15	SRa	6.7–10.0v	38091	164.2
β Dor	5 33.6	–62 29	δ Cep	3.46–4.08V	35206.44	9.842
L² Pup	7 13.5	–44 39	SRb	2.6–6.2v	40813	140.42
R Car	9 32.2	–62 47	M	3.9–10.5v	42000	308.71
S Car	10 09.4	–61 33	M	4.5–9.9v	42112	149.49
U Car	10 57.8	–59 44	δ Cep	5.72–7.02V	37320.055	38.768
S Mus	12 12.8	–70 09	δ Cep	5.90–6.44V	35837.992	9.660
BO Mus	12 34.9	–67 45	Lb	6.0–6.7v		
R Mus	12 42.1	–69 24	δ Cep	5.93–6.73V	40896.13	7.476
V412 Cen	13 57.5	–57 43	Lb	7.1–9.6B		
θ Aps	14 05.3	–76 48	SRb	6.4–8.6p		119
R Cen	14 16.6	–59 55	M	5.3–11.8v	41942	546.2
ERUPTIVE VARIABLE STAR						
VW Hyi	4 09.1	–71 18	UG	8.4–14.4v		27.8:
OTHER VARIABLE STARS						
AR Pup	8 03.0	–36 36	RVb	8.7–10.9p		75
AI Vel	8 14.1	–44 34	δ Sct	6.4–7.1v		0.111
WY Vel	9 22.0	–52 34	Z And	8.8–10.2p		
IW Car	9 26.9	–63 38	RVb	7.9–9.6p	29401	67.5
RU Cen	12 09.4	–45 25	RV	8.7–10.7p	28015.51	64.727
UW Cen	12 43.3	–54 32	RCB	9.1–14.5v		

NOTES

1. Same as 47 Tucanae.
2. Small Magellanic Cloud.
3. Brightest in Fornax galaxy cluster.
4. Large Magellanic Cloud.
5. 30 Dor, Tarantula Nebula (in LMC).
6. Includes c Pup.
7. Includes o Vel.
8. Bright central star.
9. Includes θ Car; Southern Pleiades
10. η Carinae Nebula complex includes several bright open clusters.
11. λ Centauri Nebula.
12. In Coalsack.
13. Jewelbox. Includes κ Cru
14. Centaurus A
15. ω Centauri
16. Binocular pair
17. Brighter star is brightest. Wolf-Rayet star.
18. Brighter star is very close pair.
19. Third star: V=4.9; 1.′5 (1973).
20. ω Centauri.
21. NO Pup, brighter star slightly variable.
22. Brighter star is very close pair; third fainter star in group.

BRIGHT STARS ON MAP 9 FOR DIGITAL POINTER SETUP

Name	RA (2000.0) Dec	V	Comments
Achernar	1 37 42.9 –57 14 12	0.5	alpha (α) Eri
theta (θ) Eri	2 58 15.7 –40 18 17	3.2	brighter of pair
NGC 2070	5 38 42.4 –69 06 03	—	nucleus of Tarantula Nebula
Canopus	6 23 57.1 –52 41 45	–0.7	alpha (α) Car
alpha (α) Cen	14 39 36.5 –60 50 03	1.8	brighter of pair
eta (η) Car	10 45 03.6 –59 41 03	6.5v	—

Magnitudes (V)

–0.5 and brighter 0.0 0.5 1.0 1.5 2.0 2.5 3.0 3.5 4.0 4.5 5.0 5.5 6.0 6.5

Double stars   Variable stars   Open clusters   Globular clusters   Diffuse neb.   Planetary neb.   Galaxies

Constellation boundaries ....   Ecliptic _ _ _170°_ _ _   Galactic equator _ _ _90°_ _ _

CENTAURUS · CRUX · MUSCA · CIRCINUS · TRA · APUS · CHAMAELEON · VOLANS · CARINA · VELA · ANTLIA · PYXIS · PUPPIS · OCTANS · PAVO · INDUS · TUCANA · GRUS · HYDRUS · MENSA · DORADO · RETICULUM · HOROLOGIUM · PICTOR · COLUMBA · CAELUM · ERIDANUS · FORNAX · PHOENIX · SCULPTO

Mimosa · Acrux · Hadar · Rigil Kentaurus · Canopus · Achernar · SMC · LMC · 47 Tuc

DEEP-SKY OBJECTS

GALAXIES

Name	R.A. h m	Dec. ° ′	Con	Type	V	Dimensions	Notes
SMC	0 52.7	−72 30	Tuc	SBm	2.3	320′ × 205′	(2)
NGC 945	13 05.4	−49 28	Cen	SBcd:	8.4	2′.0 × 3′.8	
NGC 5128	13 25.5	−43 01	Cen	S0 pec	6.8	25′.7 × 20′.0	(8)
NGC 5643	14 32.7	−44 10	Lup	SABc	10.0	4′.6 × 4′.0	
NGC 6744	19 09.8	−63 51	Pav	SABbc	8.5	20′.1 × 12′.9	

OPEN CLUSTERS

Name	R.A. h m	Dec. ° ′	Con	Type	V	Dimensions	Notes
NGC 346	0 59.0	−72 11	Tuc	oc-gn	10.3	3′	
NGC 3114	10 02.7	−60 07	Car	oc	4.2	35′	
IC 2581	10 27.4	−57 38	Car	oc	4.3	5′	
NGC 3293	10 35.8	−58 14	Car	oc	4.7	5′	
IC 2602	10 43.2	−64 24	Car	oc	1.6	100′	(3)
NGC 3372	10 43.8	−59 52	Car	oc-gn	~3	~2°	(4)
NGC 3532	11 06.4	−58 40	Car	oc	3.0	50′	
NGC 3766	11 36.3	−61 37	Cen	oc	5.3	15′	
NGC 4609	12 42.3	−62 58	Cru	oc	6.9	6′	(6)
NGC 4755	12 53.6	−60 20	Cru	oc	4.2	10′	(7)
NGC 5281	13 46.6	−62 54	Cen	oc	5.9	8′	
NGC 5316	13 53.9	−61 52	Cen	oc	6.0	15′	
NGC 5460	14 07.6	−48 19	Cen	oc	5.6	35′	
NGC 5617	14 29.8	−60 43	Cen	oc	6.3	10′	
NGC 5662	14 35.2	−56 33	Cen	oc	5.5	30′	
NGC 5822	15 05.2	−54 21	Lup	oc	6.5	35′	
NGC 6025	16 03.7	−60 30	TrA	oc	5.1	15′	
NGC 6067	16 13.2	−54 13	Nor	oc	5.6	15′	
NGC 6087	16 18.9	−57 54	Nor	oc	5.4	15′	
NGC 6124	16 25.6	−40 40	Sco	oc	5.8:	40′	
NGC 6193	16 41.3	−48 46	Ara	oc	5.2	14′	
NGC 6231	16 54.0	−41 48	Sco	oc	2.6	14′	
NGC 6242	16 55.6	−39 30	Sco	oc	6.4	9′	
Trumpler 24	16 57.0	−40 40	Sco	oc	~5	60′	(10)
IC 4651	17 24.7	−49 57	Ara	oc	6.9	10′	

GLOBULAR CLUSTERS

Name	R.A. h m	Dec. ° ′	Con	Type	V	Dimensions	Notes
NGC 104	0 24.1	−72 05	Tuc	gc	4.0	50′	(1)
NGC 362	1 03.2	−70 51	Tuc	gc	6.8	14′	
NGC 2808	9 12.0	−64 52	Car	gc	6.2	14′	
NGC 4372	12 25.9	−72 40	Mus	gc	7.2	5′	
NGC 4833	12 59.5	−79 53	Mus	gc	8.4	14′	
NGC 5139	13 26.8	−47 29	Cen	gc	3.9	55′	(9)
NGC 6362	17 31.9	−67 03	Ara	gc	8.1	15′	
NGC 6388	17 36.3	−44 44	Sco	gc	6.8	10′.4	
NGC 6397	17 40.7	−53 40	Ara	gc	5.3	31′	
NGC 6541	18 08.0	−43 42	CrA	gc	6.3	15′	
NGC 6752	19 10.9	−59 59	Pav	gc	5.3	29′	

PLANETARY NEBULAE

Name	R.A. h m	Dec. ° ′	Con	Type	V	Dimensions	Notes
IC 2553	10 09.4	−62 37	Car	pn	10.3	9″	
NGC 3195	10 09.4	−80 52	Cha	pn	11.6	42″	
NGC 3211	10 17.9	−62 40	Car	pn	10.7	19″	
NGC 3699	11 28.0	−59 58	Cen	pn	11.3	45″	
NGC 3918	11 50.3	−57 11	Cen	pn	8.1	23″	
IC 4406	12 22.5	−44 09	Lup	pn	10.2	1′.8	
NGC 5189	13 33.5	−65 59	Mus	pn	9.9	2′.3	
NGC 5315	13 53.9	−66 31	Cir	pn	9.8	14″	
NGC 5882	15 16.8	−45 39	Lup	pn	9.4	20″	

DIFFUSE NEBULA

Name	R.A. h m	Dec. ° ′	Con	Type	V	Dimensions	Notes
IC 2948	11 38.3	−63 22	Cen	gn	~7	75′ × 50′	(5)

NOTES

1. Same as 47 Tucanae
2. Small Magellanic Cloud
3. Includes θ Car; Southern Pleiades
4. η Carinae Nebula complex includes several bright open clusters
5. λ Centauri Nebula
6. In Coalsack
7. Jewelbox; includes κ Cru
8. Centaurus A
9. ω Centauri
10. Includes diffuse nebula IC 4628
11. Binocular pair
12. Third star: V=4.9; 1′.5 (1973)
13. Third star: V=7.2; 24″.0 (1963)

DOUBLE STARS

Name	R. A. h m	Dec ° ′	Con	V	Sep (Date)	Notes
β[1,2] Tuc	0 31.5	−62 58	Tuc	4.4,4.5	27″.0 (1975)	
κ Tuc	1 15.8	−68 53	Tuc	5.0,7.6	5″.2 (1982)	
p Eri	1 39.8	−56 12	Eri	5.8,5.9	11″.5 (2000)	
κ Vol	8 19.8	−71 31	Vol	5.4,5.7	65″.0 (1917)	(11)
υ Car	9 47.1	−65 04	Car	3.0,6.3	5″.0 (1975)	
h4432	11 23.4	−64 57	Mus	5.4,6.6	2″.4 (1976)	
Rmk 14	12 14.0	−45 43	Cen	5.6,6.8	2″.8 (1963)	
α Cru	12 26.6	−63 06	Cru	1.3,1.7	4″.2 (1979)	(12)
μ Cru	12 54.6	−57 11	Cru	4.0,5.2	34″.9 (1967)	
θ Mus	13 08.1	−65 18	Mus	5.7,7.7	5″.3 (1958)	
Δ 141	13 41.7	−54 34	Cen	5.3,6.6	5″.4 (1963)	
Rmk 18	13 52.0	−52 49	Cen	5.3,7.5	18″.1 (1959)	
Δ 159	14 22.6	−58 28	Cen	4.9,7.1	9″.2 (1958)	
α[1,2] Cen	14 39.6	−60 50	Cen	0.0,1.2	14″.1 (2000)	
ADS 9375 = 54 Hya	14 46.0	−25 27	Hya	5.1,7.1	8″.4 (1975)	
h4715	14 56.5	−47 53	Lup	6.1,6.9	2″.3 (1959)	
Δ 178	15 11.6	−45 17	Lup	6.4,7.4	32″.3 (1968)	
κ[1,2] Lup	15 11.9	−48 44	Lup	3.9,5.7	26″.6 (1968)	
μ Lup	15 18.5	−47 53	Lup	5.0,5.1	1″.3 (1965)	(13)
h4788	15 35.9	−44 58	Lup	4.7,6.6	2″.1 (1975)	
ξ Lup	15 56.9	−33 58	Lup	5.1,5.6	10″.4 (1968)	
η Lup	16 00.1	−38 24	Lup	3.4,7.8	15″.0 (1957)	
ε Nor	16 27.2	−47 33	Nor	4.5,7.2	22″.8 (1957)	
MlbO 8	16 41.3	−48 46	Ara	5.6,6.8	9″.6 (1956)	
h4949	17 26.9	−45 51	Ara	6.4,7.4	2″.1 (1975)	
Δ 227	19 52.6	−54 58	Tel	5.8,6.5	22″.9 (1967)	
θ Ind	21 19.9	−53 27	Ind	4.5,7.1	6″.3 (1975)	
Δ 246	23 07.2	−50 41	Gru	6.3,7.0	8″.7 (1975)	
Δ 249	23 23.9	−53 49	Gru	6.2,7.1	26″.5 (1951)	
θ Phe	23 39.5	−46 38	Phe	6.5,7.3	3″.9 (1975)	

VARIABLE STARS

Name	R. A. h m	Dec ° ′	Type	Magnitude Range	Epoch (2400000+)	Period (days)
ECLIPSING VARIABLE STARS						
ζ Phe	1 08.4	−55 15	EA	3.92–4.42V	41643.689	1.669
GG Lup	15 18.9	−40 47	EB	5.4–6.0p	34532.325	2.164
R Ara	16 39.7	−57 00	EA	6.0–6.9p	25818.028	4.425
V861 Sco	16 56.6	−40 49	EB	6.07–6.69V		7.848
V539 Ara	17 50.5	−53 37	EA	5.66–6.18V	39314.342	3.169
PULSATING VARIABLE STARS						
R Car	9 32.2	−62 47	M	3.9–10.5v	42000	308.71
S Car	10 09.4	−61 33	M	4.5–9.9v	42112	149.49
U Car	10 57.8	−59 44	δ Cep	5.72–7.02V	37320.055	38.768
S Mus	12 12.8	−70 09	δ Cep	5.90–6.44V	35837.992	9.660
BO Mus	12 34.9	−67 45	Lb	6.0–6.7v		
R Mus	12 42.1	−69 24	δ Cep	5.93–6.73V	40896.13	7.476
V412 Cen	13 57.5	−57 43	Lb	7.1–9.6B		
θ Aps	14 05.3	−76 48	SRb	6.4–8.6p		119
ERUPTIVE VARIABLE STARS						
VW Hyi	4 09.1	−71 18	UG	8.4–14.4v		27.8:
OTHER VARIABLE STARS						
RU Cen	12 09.4	−45 25	RV	8.7–10.7p	28015.51	64.727
UW Cen	12 43.3	−54 32	RCB	9.1–14.5v		
RY Ara	17 21.1	−51 07	RV	9.2–12.1p	30220	143.5
RS Tel	18 18.9	−46 33	RCB	9.3–13.0p		
RR Tel	20 04.2	−55 43	Z And	6.5–16.5p		
RS Gru	21 43.1	−48 11	δ Sct	7.93–8.49V	41599.999	0.147
SX Phe	23 46.5	−41 35	δ Sct	6.78–7.51V	38636.617	0.054

BRIGHT STARS ON MAP 10 FOR DIGITAL POINTER SETUP

Name	RA (2000.0) Dec		V	Comments
Achernar	1 37 42.9	−57 14 12	0.5	α Eri
eta (η) Car	10 45 03.6	−59 41 03	6.5v	—
theta (θ) Cen	14 06 41.0	−36 22 12	2.1	brighter of pair
alpha (α) Cen	14 39 36.5	−60 50 03	−0.0	Position for brighter of pair
alpha (α) Pav	20 25 38.9	−56 44 06	1.9	Peacock
alpha (α) Gru	22 08 14.0	−46 57 40	1.7	

Magnitudes (V)

−0.5 and brighter 0.0 0.5 1.0 1.5 2.0 2.5 3.0 3.5 4.0 4.5 5.0 5.5 6.0 6.5

Double stars   Variable stars   Open clusters   Globular clusters   Diffuse neb.   Planetary neb.   Galaxies

Constellation boundaries   Ecliptic ----170°----   Galactic equator ----90°----